救国シンクタンク叢書

なぜレジ袋は「有料化」されたのか

救国シンクタンク［編］

総合教育出版

はじめに

渡瀬裕哉（救国シンクタンク理事・研究員）

「レジ袋の有料義務化」という規制政策は国民生活に多大な影響を与えています。
この規制がもたらすレジにおける声掛けコストを推計すると、

・来客者年間延一七〇億人
・店員によるレジ袋有無やり取り一人三秒
・年間やり取り五一〇億秒、八・五億分、一・四千万時間
・店員に支払う時給千円
・時給総額一四〇億円

ということになります。その上、既存のレジ袋生産事業者などに与える経済負荷まで加えると、その費用は甚大なものとなっていることは容易に想像がつきます。

レジ袋規制以外にも、我々が日常生活を送る上で様々な規制が存在しており、それらの規制には必ず経済コストが伴っています。しかし、国民にそれらの経済コストが認識されることはほとんどありません。そして、大半の規制は関係省庁、政治家、業界団体、有識者などによって、国民が知らないところで粛々と増加しています。国民が知っていることと言えば、役所が規制を作った後に行う政府広報上の大義名分だけです。

ほぼ毎日のペースで新たに増加する規制は、日本経済に目に見えないコストを課しています。それらの累計額は計り知れない規模になっていますが、日本政府はその全容を把握することなく、今日も制御基盤が壊れたマシーンのように新たな規制を作り続けています。

本書は、そのような規制のうち、誰もが知っている「レジ袋の有料化」という規制について取り扱っています。その規制が作られていく過程を、詳細に分析を行うことを通じて、役所や政治家のみが知っている規制ができるまでの政治的・行政的プロセスを一般に公開し、その知識を普遍化することを意図しています。

一般国民に規制ができるまでのプロセスに関する知識が公開されることは、逆説的に新たな規制作りを防止し、または既存規制を葬っていくための知識にもなり得ます。規制を作る人々にとっての武器は、規制新設防止及び規制廃止を求める人々にとっての武器にもなるのです。

したがって、本稿は規制を無くしたい人のためのマニュアルとして創刊するに至りました。レジ袋という身近な話題を通じ、規制がどのように作られてきたのかを学び、規制の新設防止、そして規制廃止に繋げていく視座を読者にもたらすことができれば幸いです。

*目次

はじめに　渡瀬裕哉　3

第一章　規制だらけの国、日本の現状　9

コラム①「常識がない政府」の実例：〈少年自然の家〉事業　52

コラム②　プロパガンダで広まる規制に対する誤解
…規制の目的を明確にせよ　53

第二章　一つの規制が出来上がるまでの調査研究　57

第三章　アクティビストのための調査手法　161
資料「立法プロセスチェック表」　245
コラム③「立法プロセスチェック項目」オススメ調査ツール【国会会議録検索システム】　260
おわりに　内藤陽介　263

第一章　規制だらけの国、日本の現状

レジ袋有料化……規制が出来るまでのプロセスを明らかにする

「小売業に属する事業を行う者の容器包装の使用の合理化による容器包装廃棄物の排出の抑制の促進に関する判断の基準となるべき事項を定める省令の一部を改正する省令」という、非常に長ったらしい名称となっているこの省令は、何の省令かわかるでしょうか？

この省令は、令和二（二〇二〇）年七月一日より全国一律で始まったプラスチック製買物袋（レジ袋）の有料化をスタートすることを定めた新たな規制の正式名称です。

令和二年七月一日からレジ袋の有料化が開始されるまで、テレビやネット上で小泉進次郎環境大臣による大々的なキャンペーンが行われ、日本全国のコンビニエンスストアやスーパーマーケット、様々な商店においてレジ袋有料化を告知するポスターが張り出されていました。レジ袋有料化についての広報をする小泉環境大臣の姿や、財務省、環境省などが連名で作成した周知用のポスターなど、見覚えのある人は多いのではないでしょうか。

そして、多くの人はこれらの広報を見て「レジ袋有料化は環境問題対策の一環であるから仕方がない」として、レジ袋の有料化を甘んじて受け入れていったのではないでしょうか。

しかし、レジ袋有料化が実施されるきっかけとなったこの省令は、さまざまな問題点を抱えていました。簡単にですがレジ袋省令の問題点をいくつか上げていきます。

じつは、レジ袋の有料化はレジ袋省令が制定されるまでに、過去何度か法制化が検討されていましたが、その度に「憲法違反の疑義」が懸念されて断念してきた経緯があります。憲法違反の疑義が懸念された理由は、レジ袋の有料化を法令で義務付けすることは日本国憲法第二十二条「営業の自由」に抵触する可能性があると認識されていたためです。

引用：「レジ袋の有料化実施の周知ポスター」経済産業省ホームページ
https://www.meti.go.jp/policy/recycle/plasticbag/plasticbag_top.html

このような懸念が認識されていたはずなのですが、令和二年七月一日に法律ではなく、内閣から出される政令ですらなく、関係省庁から出された省令によってレジ袋省令が作られることになりました。

法令ではなく省令で実施されることになった理由は不明確な状況でしたが、レジ袋省令は令和二年七月一日に実施されることになり、国民に対する広報不足という問題がさらに発生していました。

レジ袋有料化は東京オリンピック開催予定の令和二年七月までに実施することが決められていました。しかし、令和元（二〇一九）年十二月頃から新型コロナウイルス感染症が世界的に流行してきた影響もあり、東京オリンピックは令和三（二〇二一）年七月に開催が延期されました。それでも、レジ袋省令の実施は予定通り、令和二年七月一日から開始されてしまいます。さらに、レジ袋有料化の実施前に令和二年三月から事業者への説明会が行われる予定でしたが、新型コロナウイルス感染症の影響で同年五月に延期し、ウェブ配信のみの説明会となり、事業者への説明は不十分な形になってしまいました。

レジ袋省令の問題点の詳細は第二章以降で解説していますが、以上のような問題点を上げていくと、レジ袋省令の政策そのものの是非はさておき、行政手続きの観点から大いに疑義が残っていると言えます。

救国シンクタンクではレジ袋有料化の実施後、レジ袋省令が作られた背景を調べるために「アクティビストのための調査手法モデル化」という委託研究プロジェクトを立ち上げて調査を開始しました。担当は救国シンクタンク研究員の渡瀬裕哉理事、委託者はラジオ番組などでレジ袋有料化の問題を取り上げていた郵便学者の内藤陽介氏をお迎えしました。また、本調査にはＮＨＫ党の浜田聡参議院議員の協力も得ながら進めることになりました。

本研究では、「小売業に属する事業を行う者の容器包装の使用の合理化による容器包装廃棄物の排出の抑制の促進に関する判断の基準となるべき事項を定める省令の一部を改正する省令」（レジ袋省令）という規制が作られるまでのプロセスに注目をしていき、内藤陽介氏に一連の立法プロセスに関する調査を委託しました。

官公庁や国会質疑、さらには主要メディアでの報道なども含め、公開資料を収集、レジ袋省令が出来上がるまでの一連のプロセスを調査した詳細については第二章をご覧ください。

本書の第一章においては、そもそも規制とは何かということや、規制によってどのような問題が起きているのか、規制に関する日本の現状について解説をしています。レジ袋省令の研究成果も交えながら、経済産業省や環境省、各関係組織の情報を調査し、事実を解明していくことで規制に関する問題が日本に山積していることを知ることが出来ます。

本研究の目的は、多くの国民が日常的に使用することが多いレジ袋に関する規制「レジ袋省令」をサンプルとして取り上げて、規制がどのようなプロセスで出来ていくのかを明らかに出来る調査手法を確立して、その調査手法を書籍化して一般に広めていくことにあります。

規制が出来上がるまでのプロセスを分析することによって何が起こるのか？

例えば、おかしな規制が作られるまでの立法プロセスを分析することで、立法プロセス上の矛盾点などを見つけられます。そして、発見した矛盾点を行政側に問いただして、規制の改革や廃止をさせることが可能になるのです。

規制改革または規制廃止につながる調査手法を学び、実際に規制改革・廃止に向けた活動が出来る国民が増えていけば、おかしな規制を正して日本を良くしていくことにつながります。このような動きが出来る人材をアクティビスト（活動家）と言います。

政府がおかしな規制を作ったときに、規制改革・廃止を実行出来るアクティビスト（活動家）が日本に増えていくことは、日本の政治を正常に機能させていくために大切です。本書を通して、おかしな規制の問題点を改革・廃止するための、アクティビストの調査手法をお伝えしていきます。調査手法の詳細に関しては、第三章にて渡瀬裕哉理事が作成した「立法プロセスチェック項目」を参考にまとめました。

また、救国シンクタンクにおける本研究の活動については、〈チャンネルくらら〉というYouTubeチャンネルにて逐次報告しています。日常の救国シンクタンクの活動についても情報発信をおこなっていますので、宜しければご視聴ください。

省令によって規制の運用が変更されることの問題点

レジ袋有料化の実施を規定したレジ袋省令は、法令（法律）ではなく省令となっています。

省令とは何かというと、経済産業省や環境省などの各省庁の大臣が主管する行政事務について発する執行命令または委任命令のことを指します。内閣が制定する政令と同じく、法律の特別の委任がない限り、罰則・義務・権利制限などの規定は設けられません。そのため、省令による規制を実施するためには根拠となる法律（根拠法）が必要になるのです。レジ袋省令の場合は、「容器包装に係る分別収集及び再商品化の促進等に関する法律」（容器包装リサイクル法）が根拠法になっています。

この容器包装リサイクル法に罰則規定が定められています。主管する大臣は容器包装廃棄物（プラスチックなど）を減らすための基準を定め、容器包装廃棄物の排出の抑制の促進を著しく害すると認められた業者に対して、「指導、助言、勧告、名前の公表、命令、罰金」という段階を踏んだ手続きを行なうことが可能になっています。最終的に罰金が科せられる形となっていますが、容器包装廃棄物の排出の抑制の促進を「著しく」害するか否かが判断基準になっています。この判断は役所の匙加減で罰則か否かが左右されているという意味です。

レジ袋省令は、政治家が国会で新たに立法したことによって制定された規制ではなく、財務省、厚生労働省、農林水産省、経済産業省が省令を制定して法律の運用を変更した、新たな規制になります。つまり、国民の意思が反映されることがない官僚によって法解釈が拡大できた規制です。既存の法律の運用を省令で変更することが可能であるということです。

ちなみに、レジ袋省令のように省令によって法律の運用が変更される事例は他にもあります。例えば、令和二年十二月頃から中国の武漢市で感染が確認されて、世界中で急速に感染拡大が始まった新型コロナウイルス感染症に対するワクチン接種方法に関する法律（規制）の運用が変更された事例です。

令和三年四月の段階で新型コロナウイルスの感染者が日本国内でも増加してきていました。そのため、ワクチン接種のための筋肉内注射を打つ業務を担える人材の確保が大きな課題となっていました。筋肉内注射を打つ業務は医師法第十七条の「医行為」に該当したため、筋肉内注射を打てる医師または医師の指示の下の看護師などの確保が必要でした。

昭和二十三年法律第二百一号　医師法

第五章　業務

第十七条　医師でなければ、医業をなしてはならない。

逼迫した状況となった政府は、本来は医師の資格を有さないと筋肉内注射を打つ業務が行えない歯科医でも対応が可能になるように、厚生労働省が規制を省令で変更する形で対応しました。

厚労省は「新型コロナウイルス感染症に係るワクチン接種のための筋肉内注射の歯科医師による実施について（4月26日／厚生労働省医政局医事課、医政局歯科保健課、健康局予防接種室）」という事務連絡を通達し、この特例に基づいて歯科医がワクチン接種のための筋肉内注射の実施を可能にしたのです。厚労省に事務連絡の通達を行わせた菅義偉政権は、感染対策の切り札としてワクチン接種の普及に尽力しており、主要野党もワクチン接種に関して賛成の立場でした。そのため、ワクチン接種の普及政策に関して議論の余地はない状況であり、実際に厚労省の通達によってワクチン接種のスピードが加速し、一日に百万回接種が可能になりました。

菅義偉政権におけるワクチン接種の拡大は、政策的には成功をした事例と言えます。ただし、医師法で禁止をされている医療行為を法改正なしで、厚労省の通達一本で可能にしてしまったのは問題がないとは言い切れません。

医師法第十七条には、「医師でなければ、医業をなしてはならない。」と書かれています。そのため本来は、歯科医が医業を行なうためには法改正が必要となるのです。新型コロナウイルス感染症という緊急事態が発生し、早急な対応が求められていた状況下であるとはいえ、厚労省の通達一本で法改正を経ずに実行したことの是非は、しっかりと検証しておく必要があると考えられます。

そもそも、与野党ともにワクチン接種を推進することに賛成している状況で、政策の中身についての議論の余地は無かったと言える状況でした。そこで、医師法第十七条の例外となる特例法を国会に提出して、午前中に衆議院、午後に参議院で可決し、夕方から施行することも可能であったと思われます。

緊急事態下とはいえ、ワクチン接種に関係した法律（規制）が法改正を経ずに、厚労省による通達一本で運用が変更されたこの事例は、国会によって制定された法律よりも省庁による通達が優先されてしまっている、おかしな規制の運用変更の事例と言えます。

現在の日本の政治状況は、国会による正式な手続きを踏まずに省令によって新たな規制が作られていたり、省庁の通達一本で法律の運用が簡単に変更されていたり、おかしな政治運営が日常化してしまっている異常事態とも言えます。

本書で研究対象としているレジ袋省令も、「たかだかレジ袋に関する規制が一つ増えたからと言ってたいしたことがないだろう」と考えるのは危険です。そのような意識のままだと、気付かぬ間に規制が増え続けて、国民の自由が次第に制限されていくでしょう。マルティン・ニーメラーの『彼らが最初共産主義者を攻撃したとき』の言葉に似たような構図に陥っていく状況が今の日本の状況に似ています。

政府の予算が増加し続け、規制が増え続けると政府機関は肥大化し、「大きな政府」となり、民主主義の形骸化につながります。選挙において国民が求める政策は個々人で違うため、政府機関の影響が大きすぎると国民一人あたりの政策に与える影響力は低下してしまうのです。規制が増加し、運用も適当に行われていくと国民の自由は奪われていってしまいます。

規制の個数を把握すらしない日本政府

令和二年七月一日より、容器包装リサイクル法の関係省令の改正に基づき、全国一律でプラスチック製買物袋（レジ袋）の有料化がスタートし、レジ袋有料化という規制が新たに増えることになりました。レジ袋省令は実施に至るまでにネットやメディアの報道、街中のスーパーマーケットやコンビニエンスストアに張られた告知などで、その存在を多くの国民に周知されていたかと思います。しかし、ほとんどの国民は日本の規制の現状について関心も興味も持つことなく日常生活を営んでいるのではないでしょうか。

そもそも規制とは何かというと、国民の経済活動や社会活動に制限を課すものであり、諸外国においては、規制は税金と同じように重要な要素であると認識されています。そのため、個別の規制の話だけではなく、規制に関する政策全体の議論が重要です。本来は必要な議論なのですが、日本ではほとんど話題にされてこなかったのが現状です。

諸外国では当たり前の規制に関する政策全体の議論が出来ていない理由は何かというと、日本政府が基礎的な作業を行なうことすら出来ていないことが原因です。

日本の規制は一体いくつあるのかご存知でしょうか。おそらく正確に日本の規制の個数を把握している人はいないと思われます。なぜならば、立法した法律による規制の個数を

図表1　許認可等の根拠条項等数の推移

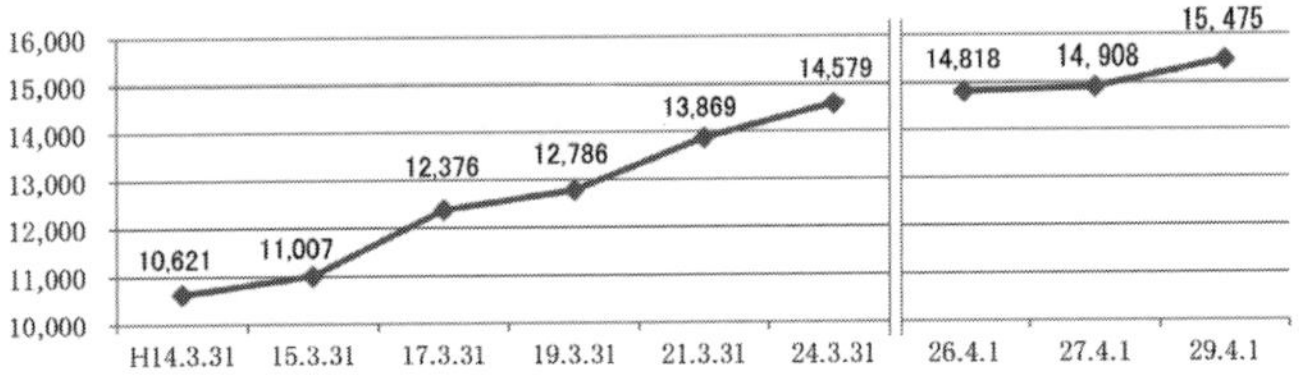

（注）複数の府省等が関係する許認可等について、平成24年3月31日現在までは、許認可等の処分権者ごとに数えており、25年4月1日現在以降（本表では、26年4月1日現在以降）は、許認可等の根拠法令を所管する府省等ごとに数えている。

引用：「許認可等の統一的把握の結果について」平成30年6月　総務省行政評価局
https://www.soumu.go.jp/main_content/000557749.pdf

把握する事務作業を、日本政府は満足に出来ていないない状況となっているためです。

　一応、完全に把握出来ないわけではなく、過去の日本の規制の個数は、総務省の行政評価局によって作成された「許認可等現況表」で確認することができます。「許認可等現況表」は、〈国民の申請、出願等に基づき、行政庁（国）が行う処分及びこれに類似するもので、法律、政令、省令及び告示において、「許可」等の用語を使用しているものを把握〉して公表されたもので、日本にある規制の一覧表となっています。

　昭和六十（一九八五）年の閣議決定で総務省が各省庁と協力をして毎年作成されるようになりました。日本政府が所管する規制の個数と内容を把握することが出来て、日本政府の実態を表す基礎資料として有用なものでした。平成三十（二〇一八）年六月十九日に公表された「許認可等現況表」には、一万五四七五個の規制（許認可等）が存在していると記載されています。

平成十四（二〇〇二）年三月三十一日時点の日本の規制の個数は一万六二一一個でしたが、規制の個数は年々増加傾向となっていました。平成十四年から平成三十年までの十七年間の間に年間三百個以上の許認可等が新設されて、おおよそ一日に一個のペースで規制は増え続けてしまいました。規制の個数は一・五倍の規模までに増加しているのです。

また、資料を見ると分かる通り日本の規制の個数は増え続けていたのですが、総務省の公表している「許認可等の統一的把握結果」は平成三十年度までで公表が終了していま す。平成から令和の時代に入ってからの日本政府は、それまで毎年数えていた規制の個数を数えるのをやめてしまっているのです。

規制が増加することは、国民に膨大な無駄な作業を強いることにもなります。新しい規制によって生み出される事務作業などの非生産的な業務が増加することは大きな経済的損失です。限られた時間を新たな経済活動に注力することが出来なければ、当然ながら経済発展は阻害され続けてしまいます。規制が増加し続けることは、日本経済の長期停滞の根本の原因の一つであるとも言えるのです。

ところが、日本政府は国民に対して規制を強いながらも「規制の個数を数える」ことを止めてしまっているのが現状です。このような異常な現状に対して問題意識を持った政治家が国会の場で政府に質問を行いました。令和四（二〇二二）年六月三日に開かれた参議院財政金融委員会において、ＮＨＫ党の浜田聡参議院議員が「日本政府がなぜ規制の個数を数えなくなったのか」という質問を行いました。そして、武藤真郷総務省大臣官房審議官が、日本政府が規制の個数を数えなくなった理由を答えました。

（第２０８回国会　参議院　財政金融委員会　第15号　令和4年6月2日）

○浜田聡　参議院議員

《中略》

先般、私の支援者の方から御要望がありまして、最後に公表された一万五千四百七十五から毎年どのくらいずつ増えたのか、問い合わせた経緯があります。で、総務省からの回答が、実はこのとおりでした。当局が行っていた許認可等の統一的把握は平成三十年六月に公表したものが最後になり、その後の数値は把握していないため、一万五千四百七十五より後の数値はお示しすることができませんというものです。今後はデジタル庁による行政手続数の把握のみになっているということでした。このやり取りでは、何となく総務省とデジタル庁の間で、まあ言葉が悪いですけれど、押し付け合いのような感じがしたわけでございます。

それはさておき、規制が国内の経済、社会に及ぼす影響というのは非常に大きいわけですが、先ほど申し上げた状況というのは、国内の規制を政府がしっかりと把握することを放棄しているような感じだと思うわけで、それに対して危機感を覚えるわけでございます。

そこで、総務省の方に今回提案をさせていただきたいと思います。総務省がこれまで行ってきた許認可等の統一的把握の業務を再開するべきだと思うんですけれど、この提案についての御見解をいただければと思います。

○武藤真郷　総務省大臣官房審議官

今御指摘いただきました許認可等の統一的把握でございますが、これは昭和六十年に開始したものでございます。当時は、規制の実態を示すものがほかになくて、許認可等の見直しを推進するための基礎資料を整備するという観点から実施してきたもの

許認可等の統一的把握結果

○　「許認可等の統一的把握」は、昭和60年の閣議決定に基づき、総務省が各府省等の協力を得て実施
○　国民の申請、出願等に基づき、行政庁（国）が行う処分及びこれに類似するもので、法律、政令、省令及び告示において、「許可」等の用語を使用しているものを把握し、許認可等現況表として公表
○　把握内容は、許認可等の事項、所管府省・局等名、根拠法令、用語、処分権者、対象者、規制シートID等

トピックス

平成30年6月19日	・概要	・全文	・許認可等現況表
平成28年3月25日	・概要	・全文	・許認可等現況表

総務省行政評価局による「許認可等現況表」の発表は平成三十年に終了している。
引用：総務省ホームページ
https://www.soumu.go.jp/main_sosiki/hyouka/hyouka_kansi_n/kyoninka.html

でございました。その後、平成三十年になりまして、法令に規定されている全ての手続を網羅的に把握するために、行政手続等の棚卸しというものが開始されたところでございます。

私どもがまとめておりました許認可等の統一的把握につきましては、その目的とか内容がこの行政手続等の棚卸しに基本的には包含されてございます。このため、作業の重複を避けることもありまして平成三十年をもって終了したところでございまして、再開することは考えてございません。

つまり、日本政府は昭和六十年に開始した規制（許認可等）の個数の統計を取る業務を、平成三十年から法令に規定されている全ての手続きを網羅的

に把握する行政手続きの棚卸しの開始に伴って止めたというのです。

令和四年現在は、規制の個数ではなく「行政手続きに関する個数」をデジタル庁が数えているのが現状です。平成三十年一月十六日に閣議決定された「デジタル・ガバメント実行計画」には、行政手続等の棚卸の継続・改善の項目についてこのように記載されています。

「デジタル・ガバメント実行計画」（平成30年1月16日、eガバメント閣僚会議決定）

２０１７年度（平成29年度）に実施した行政手続等の棚卸は、事実を細かな粒度まで把握するための重要なツールである。内閣官房は、棚卸の結果を年度末までに取りまとめ、オープンデータの形で公開する。また、今後、各府省が行政サービス改革の基盤データとして活用することができるよう、内閣官房は、各府省の協力を得つつ、棚卸データの継続的なメンテナンスを行う。

年間件数

	総計	年間件数								
		100万件以上	10万件以上	1万件以上	1000件以上	100件以上	10件以上	1件以上	0件	不明等
手続種類数（種類）	64,282	182	694	1,523	1,432	2,264	3,490	4,756	15,656	34,285
年間件数（千件）	2,546,262	2,400,195	115,097	25,341	4,708	789	118	14	0	0

引用：行政手続等の棚卸結果等の概要　デジタル庁ホームページ
https://www.digital.go.jp/assets/contents/node/basic_page/field_ref_resources/06ac5a18-3aa3-4fc6-a15a-866d4f7cd3f9/8d4d6fbe/20220711_resources_procedures_inventory_result_outline_01.pdf

そして、デジタル庁が公表している「行政手続等の棚卸結果等の概要」によると、行政手続き個数を各省庁から集計した結果、令和三年度は総計で六万四二八二件であると記載されています。

総務省の行政評価局の公表していた「許認可等の統一的把握の結果」と、デジタル臨時行政調査会が公表している「行政手続等の棚卸結果等の概要」を単純に比較すると、規制の個数が爆発的に増加していると考えられますが、デジタル庁の資料はあくまでも手続きに関する個数に限定されています。総務省の「許認可等の統一的把握の結果」の内容と違い、政府が民間に対して行う許認可等の権力行為に限定した個数ではなくなっています。民間と政府の間の手続きだけではなく、政府と政府、政府と地方自治体などとの間でやり取りされる書類送付なども含まれているデータです。

※国等には国及び独立行政法人等を含む　■100万件以上　■10万件以上　■1万件以上　■1000件以上　■100件以上　■10件以上　■1件以上　■0件　■不明等　（単位：種類）

	総計	年間件数								
		100万件以上	10万件以上	1万件以上	1000件以上	100件以上	10件以上	1件以上	0件	不明等
民→国等	19,927	81	221	483	782	1,163	1,653	1,833	5,318	8,393
国等→民	11,516	24	69	183	227	404	688	724	4,010	5,187
民→地方	5,439	27	103	256	104	172	130	93	372	4,182
地方→民	4,070	11	71	189	52	68	69	92	432	3,086
国等→国等	8,680	10	34	46	85	203	458	1,388	3,079	3,377
国等→地方	1,955	0	9	18	25	28	93	99	530	1,153
地方→国等	2,098	8	21	35	40	81	157	120	480	1,156
地方→地方	2,232	1	11	43	18	13	30	39	257	1,820
民・民	2,266	10	85	85	29	51	37	16	358	1,595
縦覧等	6,099	10	70	185	70	81	175	352	820	4,336
総計	64,282	182	694	1,523	1,432	2,264	3,490	4,756	15,656	34,285
	100%	0.3%	1.1%	2.4%	2.2%	3.5%	5.4%	7.4%	24.4%	53.3%

引用：行政手続等の棚卸結果等の概要　デジタル庁ホームページ
https://www.digital.go.jp/assets/contents/node/basic_page/field_ref_resources/06ac5a18-3aa3-4fc6-a15a-866d4f7cd3f9/8d4d6fbe/20220711_resources_procedures_inventory_result_outline_01.pdf

総務省から規制（許認可等）の個数を数える業務は、デジタル庁にしっかりと引き継がれることはなく、デジタル庁が重視する行政手続きとしての個数を集計するという状態になっているのです。民間を縛る規制の個数を政府が正確に把握していない異常事態であると言えます。政府から国民に対する規制が課される状況は変わらない中、規制の個数や規制の内容を国民が包括的に把握する方法が無くなってしまっているのです。政治家や官僚が一方的に国民を縛る規制を増やしていきながら、国民の側からは規制がもたらす政策に効果があるのか、検証をする際に必要なデータを十分に得られない状況なのです。

　レジ袋省令という規制が一つ増えることだけが問題ではなく、政策を検証するために必要な規制の個数の把握すらまともに日本政府が出来ていないことは大きな問題であると言えます。

規制を作るだけではなく、規制の評価をすることが重要

日本政府は規制をまともに把握出来ていない状況にも関わらず、新たな規制を延々と作り続けているのが現状です。本来は規制を作り上げることだけではなく、規制の政策評価をすること実施することが大切になります。政策評価とは、「各府省が行う政策について、自らその政策の効果を把握・分析し、評価を行うことにより、次の企画立案や実施に役立てるとともに、その結果を政策に適切に反映させ、政策の見直しや改善を加えること」です。ようするに、行政が行った政策をしっかりと評価をして、次年度の政策に反映していくことを目的とした制度になります。政策評価によって事前評価・事後評価が行われ、規制が見直されて規制改革や廃止がしっかりとなされていれば問題ないのですが、政策評価に関する法律自体に問題があります。平成十三（二〇〇一）年に制定された「行政機関が行う政策の評価に関する法律施行令」第三条六（政策評価法）に基づき、新たに政策が作られる際の事前評価は、法律と政令のみが対象となっており、省令・告示・議員立法などに基づいた規制は対象外となっているのです。

行政機関が行う政策の評価に関する法律施行令

六　法律又は法律の委任に基づく政令の制定又は改廃により、規制（国民の権利を制限し、又はこれに義務を課する作用（租税、裁判手続、補助金の交付の申請手続その他の総務省令で定めるものに係る作用を除く。）をいう。以下この号において同じ。）を新設し、若しくは廃止し、又は規制の内容の変更（提出すべき書類の種類、記載事項又は様式の軽微な変更その他の国民生活又は社会経済に相当程度の影響を及ぼすことが見込まれないものとして総務省令で定める変更を除く。）をすることを目的とする政策

そのため、レジ袋省令が作られる際に規制の経済的影響について十分に調査されませんでした。また事後評価も適切な政策評価が行われる保証は何もありません。規制が一日に一個のペースで増加しながら、規制の個数の把握もまともに出来ていない日本では、個別の規制を改革していくことも重要ですが抜本的な制度改革も必要な状況と言えるのです。

それ以外にも規制に関係する問題点があります。日本には、規制改革を進める組織が濫立してしまっています。規制改革を進める組織として、国家戦略特別区域会議、規制改革推進会議、総務省行政評価局、内閣官房行政改革推進本部などが存在するのですが、それ

らの組織が中途半端な所掌と権限をそれぞれで持っており、体系的な規制改革の推進が困難な状況となっています。実際に各組織にどのような機能があるのかを解説していきます。

国家戦略特別区域会議の場合、内閣総理大臣が議長を務めて、内閣府特命担当大臣（地方創生・規制改革など）、他有識者議員による構成がなされています。この下にワーキンググループが設置されて認定事業の具体的な規制改革が進められていくのです。

国家戦略特区では、内閣総理大臣のリーダーシップで「岩盤規制」と呼ばれる成長の障害となる規制を取り除くことが意図されています。

規制改革推進会議は、内閣総理大臣の諮問に応じ、経済社会の構造改革を進める上で必要な規制の在り方の改革に関する基本的事項を総合的に調査・審議することを主要な任務としています。規制改革推進会議は、あくまでも調査・審議を行う会議であるため、国家戦略特区のように実際に規制緩和を決することはしていません。各省がまとめる規制改革の内容に対して意見を述べて、まとめていくことがメインの業務になっています。

総務省行政評価局は、規制による費用便益を算定する影響評価を所管しています。政策評価法の中にある事前評価と事後評価に関する所掌を担っていますが、他省庁に対して強い立場にはなく、配置される人材も不足しており、規制改革の前提となる各省庁の規制による経済コストの算定は十分に進められていません。

このように、日本の規制改革全般に関する組織は濫立しているのですが、改革の司令塔となる組織は不明確となっています。

規制改革は既得権との闘いになるため、政治改革を実行することは非常にハードルが高い政策と言えます。現状では、内閣総理大臣の指導力を国家戦略特区で発揮して規制改革を実行していくことも可能ですが、時の総理大臣の政治力に大きく左右されてしまう方法であるため、実効性については不安定な方法です。

とはいえ、諸外国でも規制改革は困難な政策になっています。例えばイギリスの場合は、規制改革を進めるために、既得権からの介入の「見える化」を行い、合理的かつ論理的な議論をする体系だった組織とプロセスを採用しています。

イギリスにおいて行政改革に本格的に取り組み始めたのは一九八〇年代のサッチャー政

権からです。その後、一九九〇年代のブレア政権が規制改革を体系だった形の組織とプロセスに落とし込みました。

ブレア政権は内閣府に「より良い規制事務局」を設置し、直接ブレア首相が指揮を執れて強い政治力を発揮出来る仕組みにしていきました。「より良い規制事務局」は各省庁に「より良い規制改革ユニット」を設置し、各省庁に規制の作成または改廃時には必ず規制影響評価の実施を義務付けるとともに、第三者委員会である規制政策委員会の監査を受けて、さらに規制削減小委員会が承認しなければならないという徹底した規制改革プロセスを作り出しました。そして、各省庁はグリーン・ブックと呼ばれる規制影響評価を行なうためのマニュアルに従って、上記のプロセスを運用するための資料作成を行うことになりました。その後、「より良い規制事務局」は「ビジネス・エネルギー・産業戦略省」に引き継がれています。

アメリカのトランプ政権では、規制廃止に関するルールとして「二対一ルール」（新たな規制を一個作る際に規制二個の削減を求める）を導入していましたが、イギリスにも同様のルールが採用されており、現在ではさらに進んだ形となっています。日本の規制改革とは比較にならないレベルで、イギリスは二十年以上前から規制改革の体制を構築して取り組んでいたのです。

日本と同じ島国であり、君主制で議院内閣制のイギリスからは規制改革の仕組みや組織作りを大いに参考にしていく必要があると思われます。

規制改革の仕組みが大きく遅れている日本

日本の規制改革における問題点から諸外国の規制改革の取り組みを解説してきましたが、世界各国の規制改革の体系的な取り組みについてOECD（経済協力開発機構）は積極的に調査・推奨をしています。

OECDという組織は何かというと、一九四八年四月に第二次世界大戦後の経済的な混乱にあった欧州十六カ国が戦後復興のために発足したOEEC（欧州経済協力機構）が前身の機関です。OECDは国際経済全般について協議することを目的とした国際機関であり、世界最大のシンクタンクとしての機能も果たしています。日本も昭和三十九（一九六四）年にOECDへ加盟しています。

OECD加盟国の規制改革の仕組みに関する評価の最新版は「OECD Regulatory

Policy Outlook 2021」という報告書にまとめられています。

ＯＥＣＤ加盟国の標準的な規制改革の前提に「政府が規制コストの算出を行う」というものがあります。先述のイギリスによる規制改革の取り組みもその一例になります。ＯＥＣＤの報告書には、ＯＥＣＤ加盟国それぞれの規制に関するステークホルダー（利害関係者）との透明性がある形での関与、規制導入時の規制影響評価、規制導入後の事後評価、規制改革を担当する政府の体制など、さまざまな観点による比較分析が掲載されています。

規制改革に関するＯＥＣＤ加盟国の比較分析を確認することで日本の規制改革における取り組みの問題点が分かります。例えば、法律及び下位法令におけるステークホルダーの関与のプロセスの手続きについて「Stakeholder engagement in developing primary laws, 2021」を確認すると日本は最下位となっています。法律を制定するプロセスにおいて政府与党らが業界団体などからヒアリングをしていることは間違いないのですが、そのプロセスが極めて不透明で方法論が確立されていない状態にあります。規制を新設する際の透明性が低い政治的アプローチが横行していることがＯＥＣＤの資料でも示されているのです。

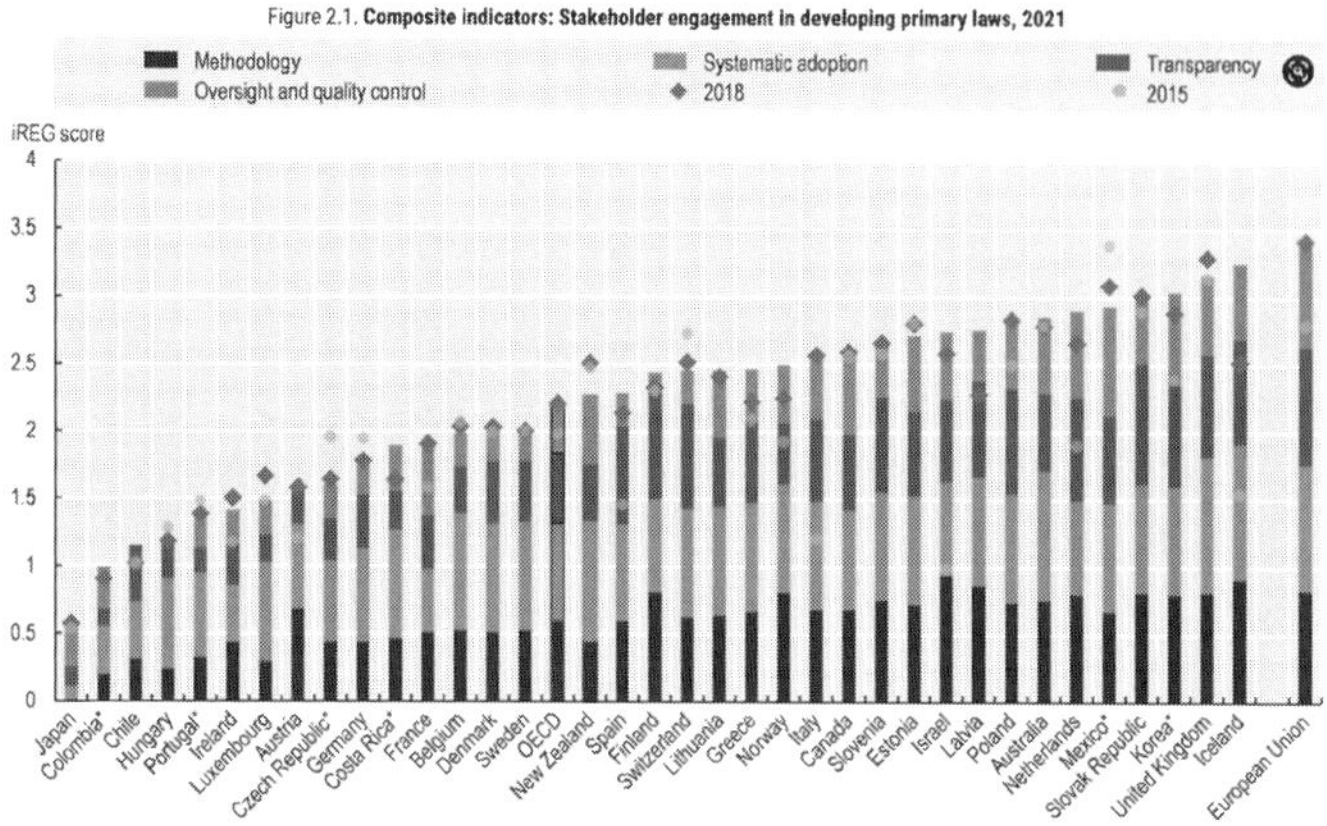

引用：「Stakeholder engagement in developing primary laws, 2021」
https://www.oecd-ilibrary.org/sites/38b0fdb1-en/1/3/2/index.html?itemId=/content/publication/38b0fdb1-en&_csp_=98126082d8cd9c3becbc075f085ad466&itemIGO=oecd&itemContentType=book#section-d1e8204

規制導入時の規制影響評価に関して日本は、平成十九（二〇〇七）年から導入した後発国です。二〇一八年の指標ではOECD平均以下の状況でした。最新版の二〇二一年の指標「regulatory impact assessment for developing primary laws, 2021」では平均以上になってはいますが、規制影響評価の透明性の問題（政府与党と業界団体のヒアリングなどのプロセス）は未だに残っています。

規制導入後の事後評価について「Ex post evaluation for primary laws, 2021」を見ると、日本政府は事後評価の仕組み

Figure 2.2. **Composite indicators: Stakeholder engagement in developing subordinate regulations, 2021**

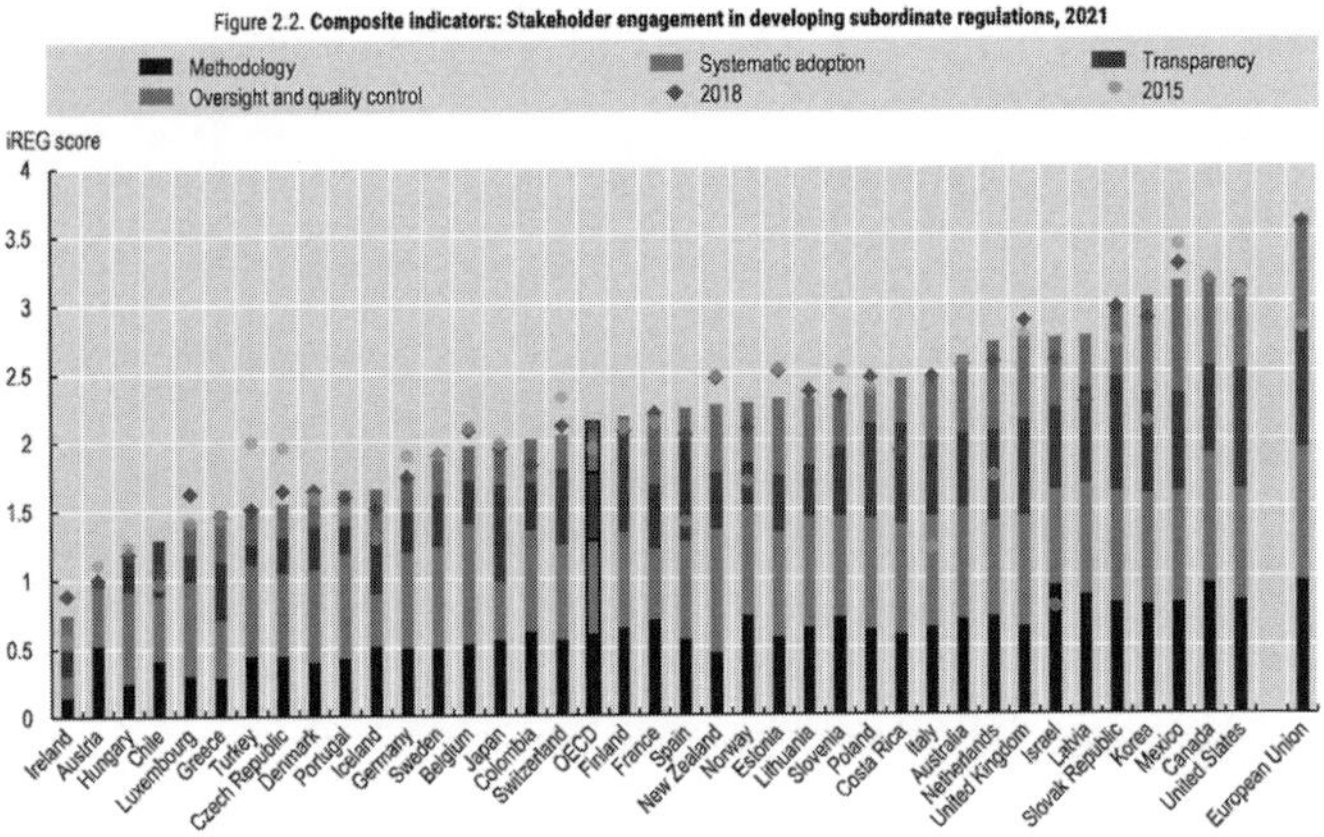

引用：「Stakeholder engagement in developing subordinate regulations, 2021」

を整備してきていることが指標から分かります。ただし、仕組みが実際に機能しているのかは今後問われていくことになります。

「OECD Regulatory Policy Outlook 2021」の報告を見るとOECD先進国の大半は、いずれの分野でも日本よりも優れた規制改革の仕組みを導入していることが分かります。特にイギリスはさまざまな指標でトップに位置しています。イギリスでは規制の大半が定量化されて具体的な金額を明記した規制総量削減目標を掲げる改革が断行されています。

対する日本の規制改革に関する仕組みは、ステークホルダーの関与のプロセスの手続きについては最下位、規制導入時の影響評価は

Figure 2.7. **Composite indicators: regulatory impact assessment for developing primary laws, 2021**

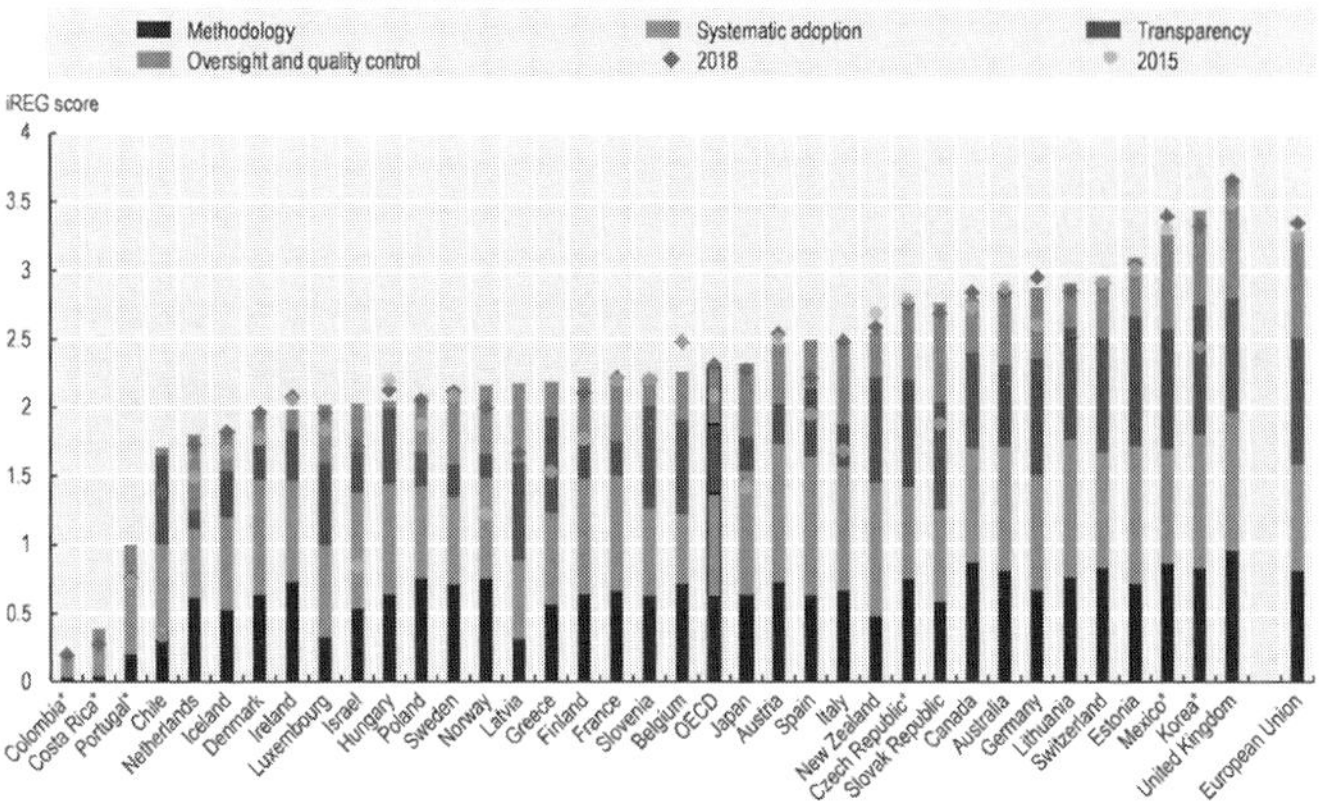

引用：「regulatory impact assessment for developing primary laws, 2021」

Figure 2.8. **Composite indicators: regulatory impact assessment for developing subordinate regulations, 2021**

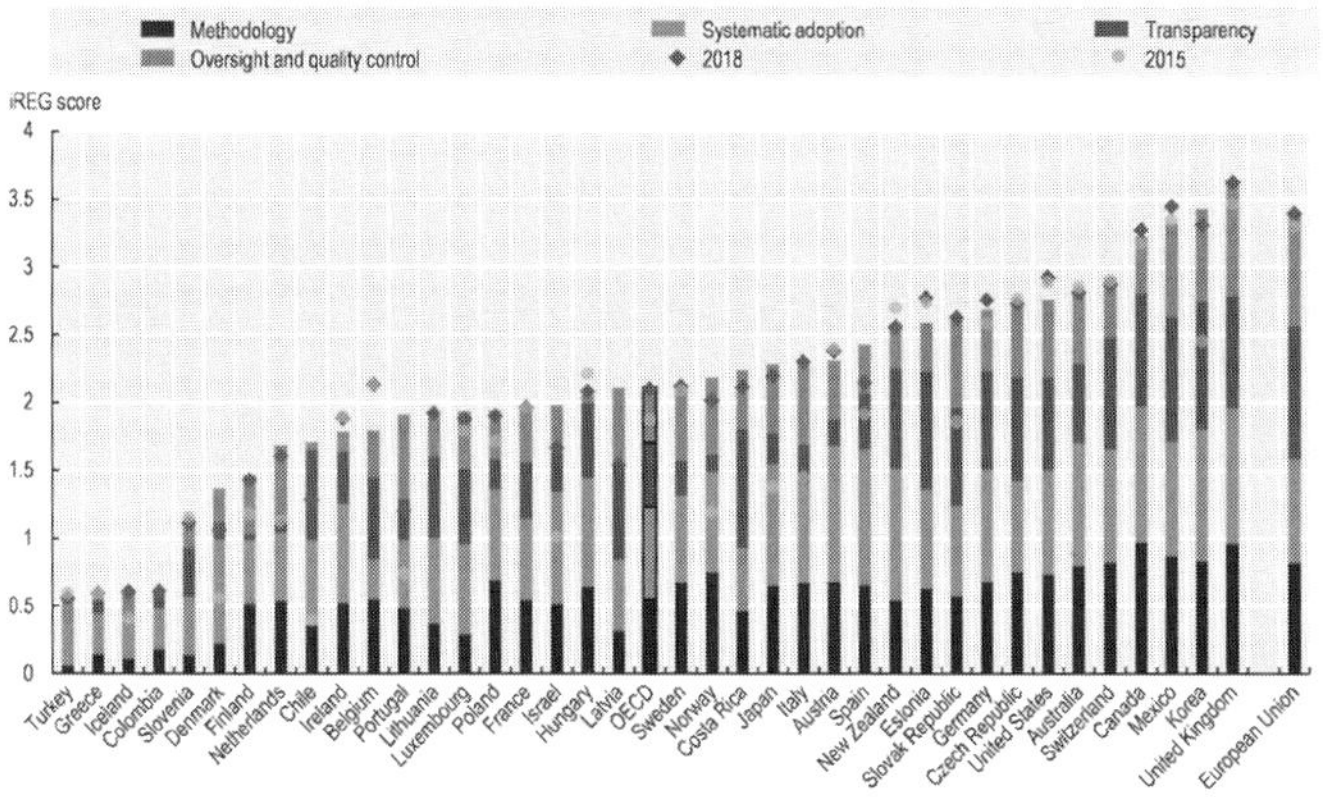

引用：「regulatory impact assessment for developing subordinate regulations, 2021」

Figure 2.18. **Composite indicators: *Ex post* evaluation for primary laws, 2021**

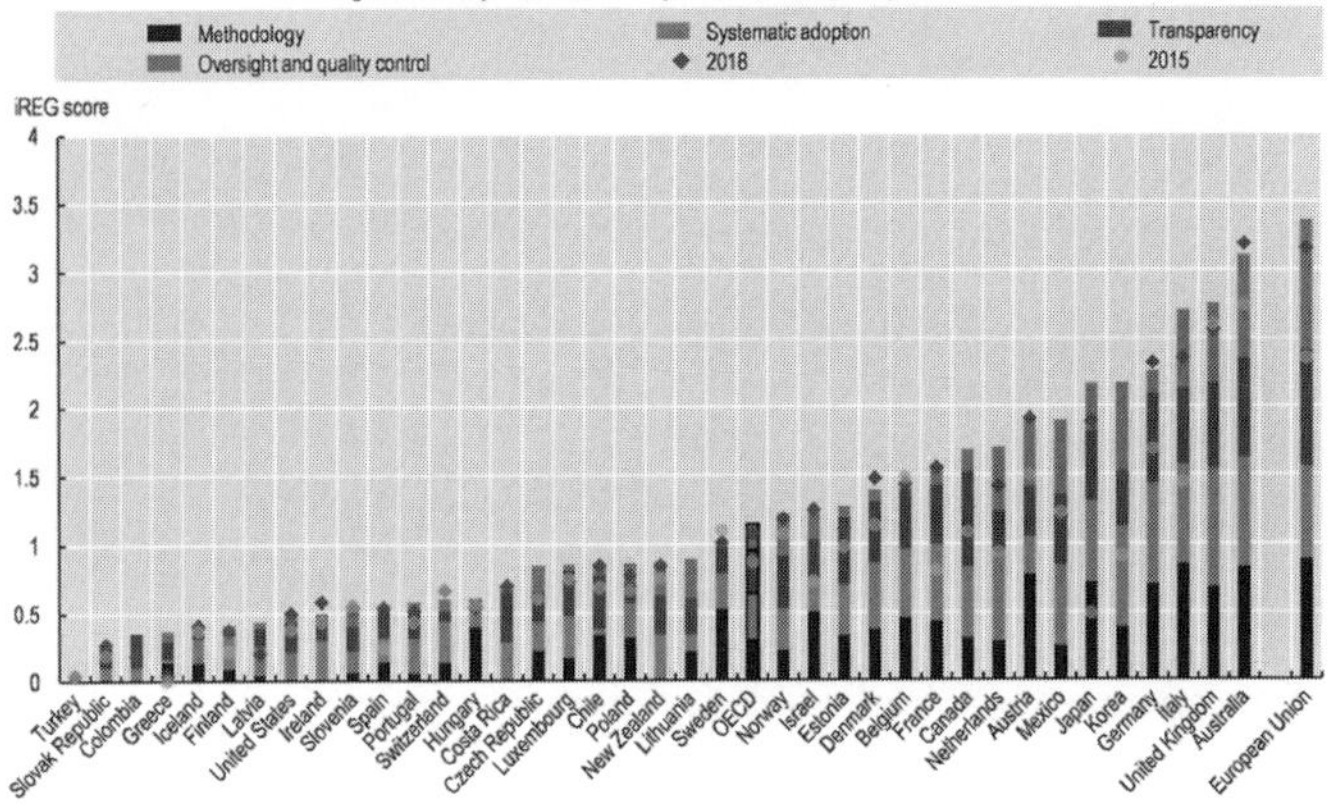

引用：「Ex post evaluation for primary laws, 2021」

Figure 2.19. **Composite indicators: *Ex post* evaluation for subordinate regulations, 2021**

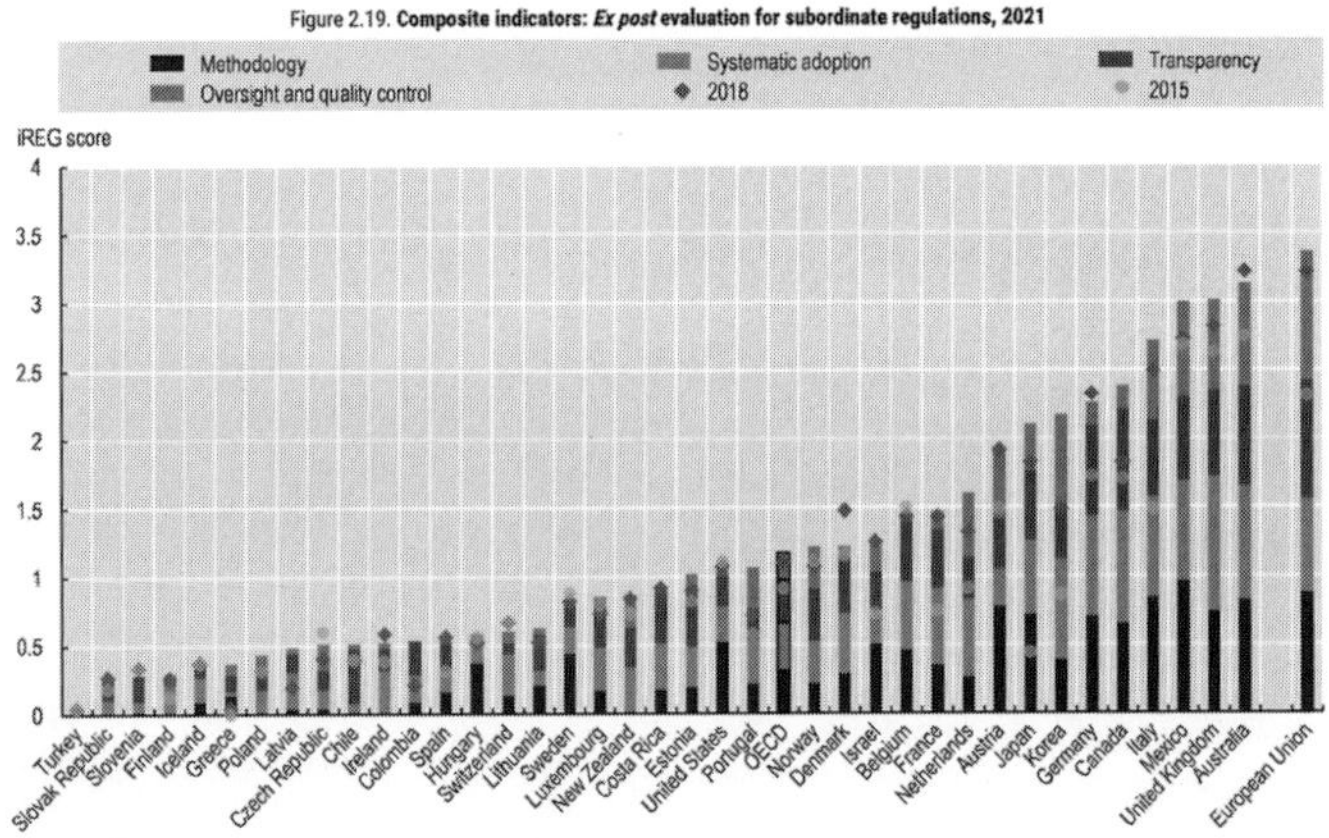

引用：「Ex post evaluation for subordinate regulations, 2021」

平均を少し上回り、規制導入後の事後評価は平均以上のものと評価されています。しかし、規制導入後の事後評価の仕組みはＯＥＣＤのランキングでは上位となっていますが、実際の運用では骨抜きにされているのが現状です。

「行政機関が行う政策の評価に関する法律施行令」第三条六にて、事前評価の対象となる規制を「法律」と「政令」に限定しています。事実上の規制の細目を決定しうる可能性が高い「省令」「告示」「議員立法」で制定される規制が対象範囲外になっています。

救国シンクタンクの研究対象としたレジ袋省令も事前評価の対象範囲外となってしまっています。そのため、ＯＥＣＤのランキングでは改善しているように見えますが、対象となるべき法令の一部を事前評価する仕組みが導入されているに過ぎません。

また、規制の事前評価と事後評価の内容、手順等の標準的な指針を示した「規制の政策評価の実施に関するガイドライン」には、事前評価の評価公表時期が閣議決定までに行えばよいと定められています。

規制の政策評価の実施に関するガイドライン

○評価書等の公表の時点等

規制の新設又は改廃が法律による場合、事前評価書等の公表は、遅くとも法律案の閣議決定までに行う。政令以下の下位法令による場合は、遅くともパブリックコメントまで（パブリックコメントの適用除外のものについては閣議決定又は制定まで）に公表する。

そのため、規制に関係する当局が外部からの干渉を嫌って閣議直前に事前評価を公表すると、透明性がある外部からの意思表明による規制の見直しをする機会がほぼなくなります。このガイドラインに明記されている運用方法では、事前評価の大半において規制を作る当局の利己的な操作が行われる可能性が高いと言えます。

さらには、事前評価・事後評価の定量評価が十分に行われていない問題もあります。

総務省が公表している「規制に係る政策評価の点検結果（令和二年度分）」によると、規制を受ける側のコストである「遵守費用」について金銭価値化または定量化がされている割合は、令和二年度の事前評価が約三十九％、事後評価に関しては不明となっています

（前回の令和元年度分では約七十六％）。規制の効果の算出なども記載されていますが、これらは規制による費用が発生しないものを全体総数に入れて計算しているわけではありません。そして、評価対象が法令及び政令に限定されているため、事実上、大半の規制は定量評価がされていない状態になっています。

このように日本の規制改革の仕組みには多くの問題があることが分かるかと思います。評価対象・タイミング・評価内容のすべてがいい加減な運用がなされているのです。いい加減な運用が横行している原因は、規制を制定する側が「自己評価」をする前提の仕組みになっているためです。

どういうことかと言うと、「行政機関が行う政策の評価に関する法律」の第三条には「自ら評価する」と記載されており、役所の規制当局が自ら規制の評価を行うことで、規制評価を済ませられるようになっているのです。外部による評価ではなく役所が自ら評価するため、規制に関する事前評価・事後評価がすべて骨抜きにされてしまう仕組みとなっています。この仕組みは役人にとって都合が良いと単純に言えるものではなく、自らの仕事を正当に第三者から評価されることもなく、役人自身に無意味で無駄な仕事が増えてしまう原因となっています。行政評価の仕組みが整っていないために、誰のためにもならない状況となってしまっています。

日本の規制改革に関する行政評価法も、その施行令及びガイドラインも、まともに機能していないことは明らかです。ＯＥＣＤ加盟国の比較を見ていると日本の規制改革の仕組みは少しずつ改善されているように錯覚するのですが、実際は順位を上げるために全く機能しない規制改革の仕組みが形式的に作られているのが現状です。

しっかりとした規制改革を日本で実施していくためには、行政評価法などの改正をして、すべての規制改革・規制廃止が透明性を確保した形で定量的に議論されるようにする必要があります。諸外国の事例を参考に抜本的な制度改革を行い、日本の規制改革の仕組みを見直していくことが求められます。

規制強化によって国民の自由は奪われていく

政治家や官僚が作り出す規制というのは、政府が国民に課す義務ともいえます。

「これをやってはいけません」「これはいくらになります」というような義務を国民に課

すことが出来るのが規制です。その規制の個数を正確に数えることを日本政府は止めてしまっている現状は先述しました。

規制が増えていくことによって国民には様々な負担が増えていきます。新しい規制に対応するための事務処理作業の増加や、レジ袋省令の場合は、コンビニエンスストアなどでプラスチック製レジ袋が有料化されてレジ袋一枚三円～五円、十円で購入することになったため、消費者にとっては支出増加という負担が増加することにつながりました。

規制が増えていくと政府の仕事が増えていき、新たな費用が発生し、必然的に次の増税が求められるようになります。そのため規制強化を進めると財源を求める議論が起こり、増税へとつながっていくのです。

「規制強化→政府規模の拡大→政府支出増加→財源確保のための増税」という流れになると、国が多くの税金を徴収し、多くの予算を支出する「大きな政府」と呼ばれる状態になります。その逆は、少ない税金の徴収で歳出も少なく抑える「小さな政府」という状況となります。「大きな政府」と「小さな政府」は政策の基本的な考え方の違いを表す理念的な考え方を表しています。

二大政党政治を実施している世界の国々では、「大きな政府」と「小さな政府」の考え方の違いを巡る政治対立が反映されていますが、日本の場合は自由民主党を始めとするすべての政党が「大きな政府」の考え方を持っているため、減税や規制廃止などの「小さな政府」を目指す動きがほとんどないのが現状です。また、減税や規制廃止を求める勢力は政治に限らず、言論や学識の場においても非常に弱く、まともな対立軸になれていません。

そのため、日本では「減税をしましょう」「規制を無くしましょう」という言論が行われても、非現実な話として扱われてしまいます。そして、その間にも規制が強化されることによって国民の負担は増加し、自由が奪われることになっているのです。

実際に規制強化や増税などによって国民の自由が奪われることを数値で見ることが出来る指標があります。それは財務省が毎年公表をしている「国民負担率」という指標になります。


国民負担率が二倍に増加していく状況にありながら、各種世帯の一世帯当たりの平均所得金額は減少しています。全世帯の平均所得金額は平成六（一九九四）年度の六六四・二万円をピークに下がり続けて、平成三十年度には五五二・三万円まで低下しています。つまり、二十四年間で一一二万円以上も所得が減少していながら、税金や社会保障負担が増

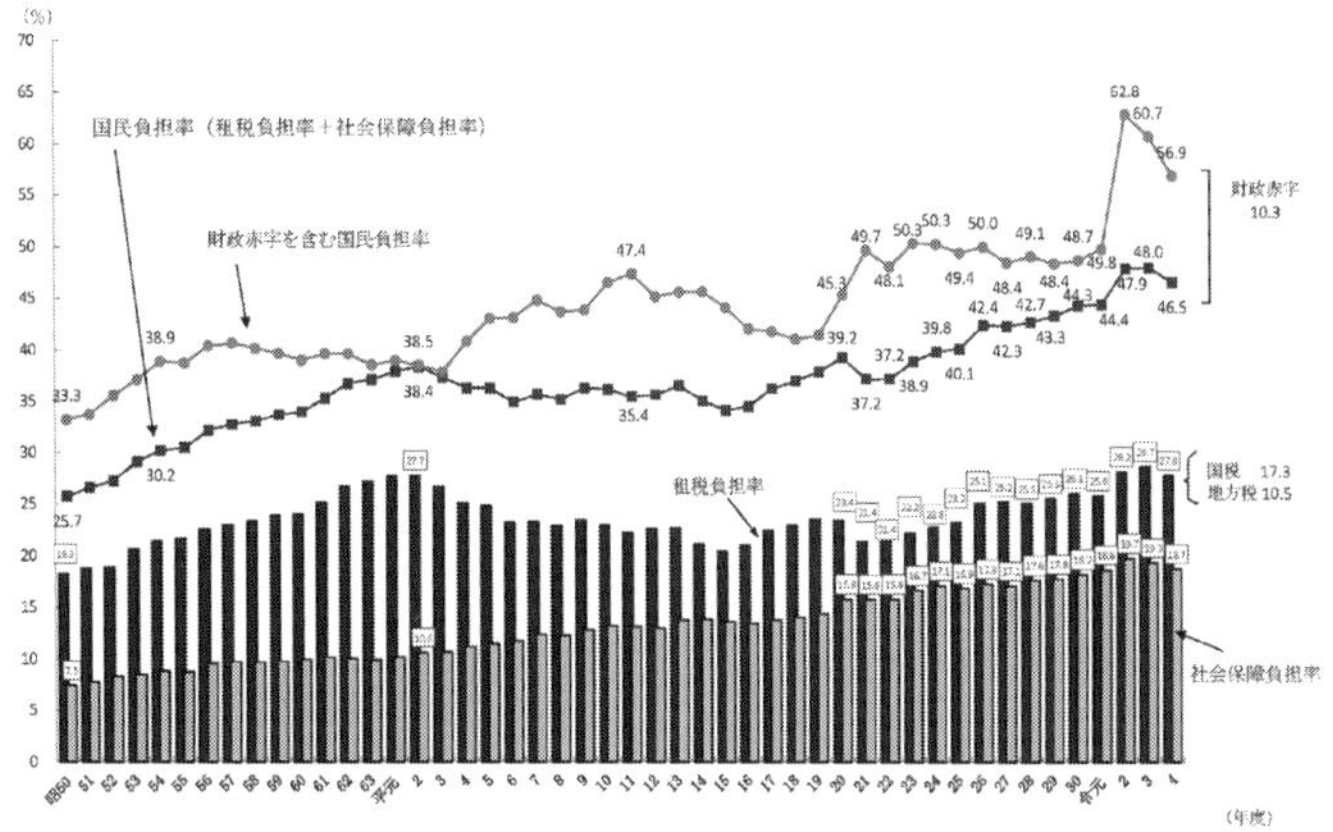

（注）1．令和２年度までは実績、令和３年度は実績見込み、令和４年度は見通しである。
2．財政赤字の計数は、国及び地方の財政収支の赤字であり、一時的な特殊要因を除いた数値。
具体的には、平成10年度は国鉄長期債務の一般会計承継、平成20年度は日本高速道路保有・債務返済機構債務の一般会計承継、平成23年度は日本高速道路保有・債務返済機構の一般会計への国庫納付を除いている。
3．平成６年度以降は08SNA、昭和55年度以降は93SNA、昭和54年度以前は68SNAに基づく計数である。
ただし、租税負担の計数は租税収入ベースであり、SNAベースとは異なる。

引用：「国民負担率の推移」財務省ホームページ
https://www.mof.go.jp/tax_policy/summary/condition/a04.htm

えているのです。働けば働くだけ貯金が出来て、結婚もしやすかったのははるか昔の話で、現代の若者は、働けども働けども重い税負担と社会保障負担に苦しみ、自由に使えるお金も減り続けているのが現実です。（前述の規制の数の増加も同様です）

　国民負担率とは、国民一人あたりの税金や社会保障費などの年間負担率を示すものです。

　国民負担率は、昭和四十四（一九七〇）年度には二十四・三％となっていましたが、令和三年度には四十八・〇％まで拡大しています。これは約五

図８　各種世帯の１世帯当たり平均所得金額の年次推移

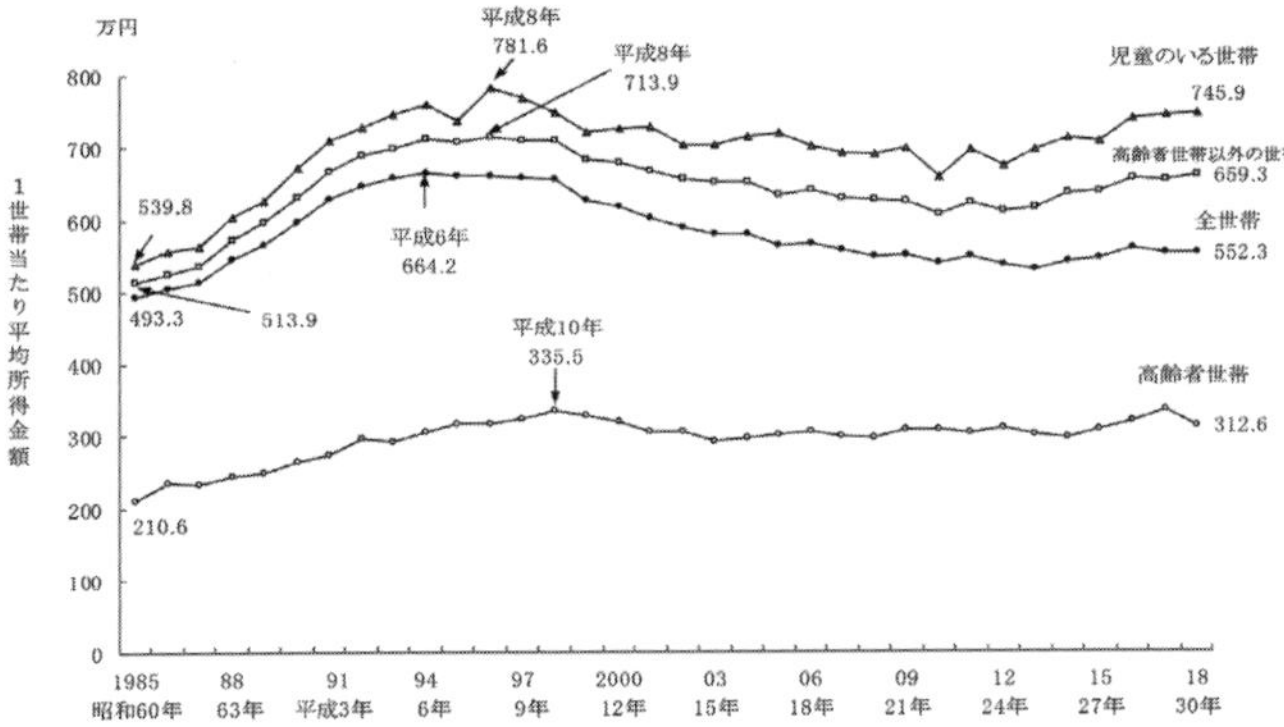

注：1）1994（平成６）年の数値は、兵庫県を除いたものである。
2）2010（平成22）年の数値は、岩手県、宮城県及び福島県を除いたものである。
3）2011（平成23）年の数値は、福島県を除いたものである。
4）2015（平成27）年の数値は、熊本県を除いたものである。

引用：「2019 年　国民生活基礎調査の概況　Ⅱ 各種世帯の所得等の状況　各種世帯の１世帯当たり平均所得金額の年次推移」厚生労働省
https://www.mhlw.go.jp/toukei/saikin/hw/k-tyosa/k-tyosa19/dl/03.pdf

十年間で国民負担が二倍に増加している状況を表しています。

現在の日本国民の平均所得は減少傾向にありながら、規制の個数はおおよそ一日に一個のペースで増え続けて、税金や社会保障費用の負担が増加し続け、年間所得の約半分を税金に支払わなければいけない状況となっています。収入の半分を税金に納めて自由に使えるお金が半分しかなくなれば、当然ながら経済成長は鈍化してデフレ脱却もままならずに、若者は明るい未来を描きづらくなってしまいます。

レジ袋の有料化や消費税の増税などの機会に一時的に政治に関心を持つこ

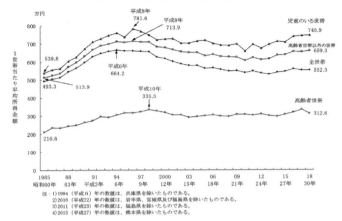

とはあっても、多くの日本人は時間が経つと関心が薄れてしまい、その間に政府は規制を新たに作り、税金を増やしていくという流れが続いています。規制や増税による国民への影響は一時的ではなく、規制廃止や減税が行われない限りはいつまでも継続されます。ですので、新たな規制が作り出されたり、規制が強化されることによって国民の自由が奪われていくという認識を持って、政治への関心を失わないことが有権者として大切になってきます。

規制の個数が増加していくことは政府の権限が肥大化していく状況となり、国民に対する制約が多い政治状況となります。このような政府規模が大きい政治状況を「大きな政府」と言い、逆に国民に対する制約である規制が少ない政治状況を「小さな政府」と言います。

日本の政治状況は先述の規制が年々増加している状況や国民負担率の状況から分かるように、政府の権限が拡大し続けている「大きな政府」の政治状況に向かっていると言えます。

ただ、日本の政治状況は「大きな政府」「小さな政府」の考え方を巡る政治対立が存在しない以前に、自民党以外の政党もすべて「大きな政府」の考え方であるため政府与党の自民党の政策に緊張感がもたらされていません。政策を実施するうえで緊張感が無い状態であるため、日本で行われている「大きな政府」の政策は「常識がない政府」による政策という状況に陥っています。「常識がない政府」とは、政府が「大きいか」「小さいか」を論ずる以前に、誰もそのようなことに関心を持たない結果、すでに意味を失った途方もない事業が大量に存在する状況になっているという意味です。

政府が「大きいか」「小さいか」を語る以前の段階として、日本の行政の実態は極めて「常識がない政府」が存在していると言える状況なのです。新たな法律や規制を制定して政策を実行しても、十分な効果検証も実態検証も行われていないため、既存の規制が見直されずに政策が無駄に継続されるという非常識な行為が今も行われているのです。

規制が増加して国民の自由は縛られていくにも関わらず、規制によって実施される政策は適当に行われているという状況を認識していくことが、多くの国民にとって政治に関心を持つきっかけになるでしょう。

第二章では、救国シンクタンクにて行った研究「アクティビストの調査手法のモデル化」で調査対象としたレジ袋省令の詳細を解説していきます。レジ袋省令が実施されるまでの政治状況や社会状況を明らかにしつつ、一つの規制が出来上がるまでのプロセスを時系列に沿って見ていくことで、一つの規制に関係する立法プロセスに多くの問題があったことが把握できます。規制に関する問題を指摘して、規制改革または規制廃止を進めていくために必要となる情報はどのようなものかをお伝えしていきます。

コラム① 「常識がない政府」の実例：〈少年自然の家〉事業

日本政府が行っている、すでに意味を失った事業の一例を紹介していきます。

全国には「少年自然の家」という事業が存在しているのですが、これは明治五（一八七五）年に発足した学校教育制度の百周年記念事業の一つとして昭和四七（一九七二）年に始まりました。学校行事の一つとして林間学校に参加された方で「少年自然の家」を利用された方もいるのではないでしょうか。

「少年自然の家」は、昭和五十年に高知県に設置されたのが最初で、その後は全国の地方自治体にも広がっていきます。旧文部省が補助金行政の一環として推進した事業であり、青少年の社会教育施設を建設し、国立・公立合わせて全国に二百以上の施設が存在しています。

現在も地方自治体は同施設を維持するための運営費として毎年、数千万円～数億円の支出をしているのですが、その裏では施設の老朽化などの問題に対応するための修繕・建替え費用という膨大な隠れ債務が蓄積されています。

熊本県熊本市の場合は、令和四年四月に金峰山少年自然の家を再建するために、解体費を含む建設費として約十四億四千万円、維持管理費は約十二億三千五百万円をかけることにしています。しかし、これらの施設は同自治体からは遠距離に存在しているため、施設の本来の目的である青少年の社会教育（林間学校など）の利用だけではなく、施設周辺の利用者などが多数利用する状況となっています。当初の目的を果たすような運用が全く行われていない状況であるため、この施設が何の目的で建設されて税金によって維持されているのかが不明確になっているのです。

コラム②　プロパガンダで広まる規制に対する誤解…規制の目的を明確にせよ

第一章では、省令によって規制の運用が変更されてしまうことの問題点や、規制の個数をまともに把握することさえ出来ていない状況となっている日本政府の現状、規制改革の仕組みが日本よりも遥かに進んでいるイギリスの事例や、ＯＥＣＤの資料を基にした世界各国と日本の規制に関する状況の比較紹介、そして規制強化によって国民の自由が侵害されている話を解説してきましたが、あらためてレジ袋省令に直接関係する問題点を書いていきます。

令和二年七月一日からレジ袋省令が実施されましたが、実施される頃には、国民の間に「環境問題対策としてレジ袋有料化義務化が一律で始まった」という認識が広まっていました。レジ袋省令の実施前から行われていた関係省庁の広報活動やテレビ・インターネットなどを通したマスメディアの宣伝の影響が大きかったのですが、国民に広まった認識は果たして正しかったのかというと、政府側の広報や宣伝に問題点があり、レジ袋省令という規制の内容を正確に国民に伝えていたとはとてもいえない状況でした。

広報における問題点の詳細は第二章にて解説していますので、ここでは簡単に政府側が国民に対して行う広報によって発生し得る問題点を上げていきます。

レジ袋省令が実施されるまでの間に、経産省や環境省を中心に政府は国民に対するレジ袋省令の規制内容の広報活動を行っていました。小泉進次郎環境大臣もテレビやインターネットなどで広報活動を実施して、省庁だけではなく政治家も積極的に国民への周知を行っていたと言えます。ですが、当時の広報活動の内容を見てみると、「レジ袋有料化」ばかりが強調されて宣伝されていました。レジ袋省令には無料配布可能なレジ袋の条件を「プラスチック製買物袋有料化実施ガイドライン」に定めていたのですが、そのことに関する広報は十分にされないままとなり、多くの国民はレジ袋省令実施前から「レジ袋省令が始まるとすべてのレジ袋が全国一律で有料化される」ものであるという認識を持つようになってしまいました。

この認識は無料配布可能なレジ袋が存在しているため誤解となるのですが、政府側の広報が不十分であったために国民の認識は改められることがないまま、レジ袋省令が実施されることになりました。政府側の広報に意図的な考えがあって「レジ袋有料化」のみが強調されていたのかは不明ですが、レジ袋省令における「すべてのレジ袋が全国一律で有料化される」という誤解が国民に広まったのは、政府から出される情報によって国民の認識が左右されてしまうというプロパガンダ要素の危険性が窺えます。

第二章にて詳細を解説しますが、レジ袋省令実施後の令和三年六月に「プラスチックに係る資源循環の促進等に関する法律」（プラスチック新法）が成立し、使い捨てプラスチック製品十二品目（使い捨てプラスチック製スプーンなど）に対する新たな規制が実施されることになりました。使い捨てプラスチック製品十二品目の排出抑制を目的にした規制であり、排出抑制の一つの方法として使い捨てプラスチック製品の有料化が示されていました。

あくまでも一つの方法であり、有料化は義務化されるわけではなかったのですが、プラスチック新法も実施される前の広報では、「使い捨てプラスチック製品の有料化」という情報がメディアやインターネットでは流されることが多く、国民に対して「プラスチック新法によって使い捨てプラスチック製品の有料化が始まる」と誤解が広まっていきました。レジ袋省令に限らずプラスチック新法でも似たような誤解が国民に広まったという状況は、今後も新しい規制が出てくる度に発生しうる問題と考えられます。

政府側が意図的に、政府に都合が良い情報を広めるというプロパガンダを行っているかは分かりませんが、正しい情報が国民に広報されているのかをしっかりと監視していくことは、国民の自由を守るためには大切な視点です。

レジ袋省令の場合は「環境問題」を大義名分に政府が新たな規制を作り出し、国民は誤った情報を伝えられているにも関わらず「レジ袋有料化」を疑うことなく信じてしまい、結果として喜んで自由を差し出してしまった状況と言えます。レジ袋省令の実施から二年以上が経過をしていますので、冷静に俯瞰して政治の動きを見直していくことが必要かと思われます。

第二章　一つの規制が出来上がるまでの調査研究

レジ袋省令…レジ袋有料化までの主要プロセスを調査する目的

第一章において日本の規制に関する現状や問題点を解説しましたが、第二章では「小売業に属する事業を行う者の容器包装の使用の合理化による容器包装廃棄物の排出の抑制の促進に関する判断の基準となるべき事項を定める省令の一部を改正する省令」（レジ袋省令）について、省令が実施されるまでの歴史的背景、一つの規制が出来上がるまでのプロセスを時系列で解説していきます。

第二章の内容に関しては、救国シンクタンクから郵便学者の内藤陽介氏への委託研究という形で研究調査を実施した内容を基に本書をまとめました。規制が出来上がるまでのプロセスを詳細に調査することで規制に関する問題点の数々が判明していくのですが、最初に本研究の調査目的を説明していきます。

【レジ袋問題研究目的】

近年、世界的に「脱炭素」が政治的イシューとしての重要性を増していますが、科学的技術的な観点から、地球温暖化と脱炭素の関係や、脱炭素の環境に対する影響を論じる議論が多くなっています。しかし、実際に環境問題に関係する規制がどのように政策として立案・立法化しているのか、民主国家としての法的手続きに照らして妥当と言えるものなのか、といった側面からの検証はほとんど行われていないのが現状です。

しかし、令和二（二〇二〇）年七月から実施されたレジ袋省令は、さまざまな法的手続きの問題があると指摘せざるを得ません。大きく分けて三つの問題点が言えます。

一つ目の問題点として、レジ袋省令の制定以前から、同様の施策が内閣法制局から「憲法違反の疑義あり」と指摘がされていました。その点をどのように乗り越えたのかを国会の場で具体的な説明はなされないまま、省令という形で実施されたことが挙げられます。

二つ目の問題点は、レジ袋省令の実施する背景とされた東京オリンピックの開催が、当初予定の令和二年七月から令和三（二〇二一）年七月に延期され、さらに、新型コロナウイルス感染症の世界的な大流行という、当初は想定されていなかった事態の変化があったにもかかわらず、レジ袋省令の実施時期に変更がなされなかった点です。

三つ目の問題点は、レジ袋省令の実施前の令和二年三月から実務者を対象にした説明会を行なう予定でしたが、新型コロナウイルス感染症の影響で同年五月に開催が延期されて、ウェブ配信のみの説明会になります。そのような状況になったのですが、省令の導入は延期されずに七月一日に強行されたことは問題であると言えます。これらの問題点を見ていくと、レジ袋省令の政策としての是非はさておき、行政手続きの観点から大いに疑義が残っていると考えられます。

レジ袋省令が実施されるまでの間、地上波テレビや大手新聞などの論調は「環境保護」の観点から「レジ袋有料化」に賛同するものがほぼすべてで、立法手続きないしは、行政手続きの観点から問題点を指摘したのは、本研究を担った内藤陽介氏を含めても極めて少数の論者しかいませんでした。

さらに、レジ袋有料化の実施後、環境事務次官に就任した中井徳太郎氏は、令和二年七月二十二日に行われた環境省内での就任会見にて「炭素税」の導入に言及し、前向きな姿勢を示しました。その時点では政務三役も否定的であったにもかかわらず、公の場で「税」のあり方について言及するのは、官僚として守るべき矩を越えたというほかありません。

また、令和三年六月には、全国民に大きな影響を与えることが予想される「プラスチックに係る資源循環の促進等に関する法律」(プラスチック新法)が、選挙による民意を問うことなしに成立をしたりするなど、近年、「環境(保護)」を称した立法や政策が安易かつ無批判に進められている傾向が強まっていることが明らかだと言えます。

そこで、本研究ではレジ袋省令を一つのモデルケースとして、官公庁や国会審議、さらには主要メディアなどの報道も含め、公開資料を基に、この施策が実施されていくまでの経緯を可能な限り詳細に明らかにすることで、環境規制の強化がどのように進められていくのか、そこに合理性はあるのか、さらには、過剰な規制を増やさないためには国民の側はどのように対応をしていくべきなのか、といった点について考えるための素材を提供することが目的になります。

そして、ここからは郵便学者の内藤陽介氏が救国シンクタンクの研究会にて発表をした、レジ袋省令の政策決定プロセスを明らかにした研究発表の内容をお伝えしていきます。一つの省令が出来上がるまでの政策決定プロセスを調査することで、規制が制定されていく手続き上における問題点の数々や、いったいどのような経緯でレジ袋省令は出来たのかを明らかにしていきます。

なお、政策決定プロセスの調査をする際には、国会議事録や国会で行われた審査会の議事録を参照しつつ、ＮＨＫ党の浜田聡参議院議員のご協力も得て、政府民間を問わず幅広くヒアリングを実施しました。

平成七（一九九五）年六月十六日…レジ袋省令の根拠法令の制定

令和二年七月一日よりレジ袋省令が実施されて、日本全国のコンビニエンスストアやスーパーマーケット、小売店などでプラスチック製買物袋（レジ袋）の有料販売が開始されました。本研究では、レジ袋省令が実施されるまでの背景を調査するところから始まりました。

第一章〈省令によって規制の運用が変更されることの問題点〉にて、官僚が国民に対して省令（命令）を出すには法律に根拠を求める必要があると書きましたが、レジ袋省令の根拠法令は何かというと、平成七年六月十六日に公布された「容器包装に係る分別収集及び再商品化の促進等に関する法律」（容器包装リサイクル法）を改正した政令になります。まず、最初に容器包装リサイクル法とも呼ばれる、この法律が制定された背景から見ていきます。

当時の国会での議論を調査していくと平成初期の政治・社会状況が色濃く反映されていることがわかりました。制定前の容器包装リサイクル法についての国会審議が始まったのは、平成七年五月三十一日に開催された、「第一三二回国会　衆議院　商工委員会厚生委員会農林水産委員会環境委員会連合審査会」からです。この審査会を中心に「何が問題とされて法律が出来たのか？」「何が議論されていたのか？」ということに注目をして、国会審議の議事録を引用しながら要点をまとめていきます。

審査会の冒頭で自民党の山口俊一衆議院議員は、今回の法案提出は画期的であるというスタンスで質問をしています。

（第132回国会　衆議院　商工委員会厚生委員会農林水産委員会環境委員会連合審査会　第1号　平成7年5月31日）

○山口俊一　衆議院議員

それでは、お許しをいただきまして、四委員会連合審査のトップを切って質問をさせていただきます。

私は厚生委員にもあるいは環境委員にも所属をいたしておりますので、きょうは厚生委員会というふうなことになっておりますが、両方の立場から質問をさせていただきたいと思う次第でございます。

今回のいわゆる包装廃棄物リサイクル促進法ですが、今回相当難産であったというふうに聞かされておるわけでありまして、事実、いろいろな新聞を取り寄せて拝見をしていますと、相当やゆされておる記事も多々出ておるわけであります。いわゆる各省庁の綱引きだ、いわゆるコップの中の争いだ云々でありますが、ただ、ある意味で、そうしたいろいろな綱引きがあったということはむしろ議論を深める契機にもなったのではないか、そうしたプラスの部分もあるのではないかというふうに私考えておるわけであります。

事実、各省庁のいろいろなその当時の意見というのが出ておりますけれども、例えば農水省は、容器などを製造する業者にも負担をさせることでむだなく再利用しやすい容器をつくろうというふうな動機づけにもなるのだというような主張であります。これに対して厚生省は、そうしますと際限なく責任が分散をしてしまう云々、あるいはまた農水省は、一部にだけ負担を課すと、負担のない紙やプラスチックの容器類がふえてごみの減量化に逆行することにもなりかねない云々、そうしたいろいろな議論がなされてきたわけであります。

そうしたことを踏まえて今回の法案提出というふうなことになったわけでありますが、私としても、今回確かに各団体からもいろいろな意見が出ております若干の問題点も否定し切れない部分もあろうかと思いますが、ともかく新たな一歩、しかも画期的な一歩をしるす法案であろうというふうに理解、評価をいたしておるわけであります。

そうしたいろいろな経緯を踏まえて今回こういうふうに法案が提出をされました。

この法案に対する各省庁のそれぞれ基本的なスタンス、考え方あるいは感慨も含めて、まずお聞かせをいただきたいと思います。

山口衆議院議員は、規制そのものには農林水産省と厚生労働省ともに賛成をしていたが、両省間で対立があったことを明かしています。

そして、山口衆議院議員が容器包装リサイクル法を制定する理由を政府側に求め、通商産業省・厚生労働省・環境庁の各大臣が省庁ごとの答弁をしていきます。

○橋本龍太郎通商産業大臣

では通産省からまず申し上げたいと思います。

我が国におきまして、家庭などから排出される一般廃棄物が非常に増大をいたしておりまして、最終処分場が逼迫化しておりますことは、よく御承知のとおりであります。しかもその一方で、主要な資源の大部分を輸入に依存している我が国にとりましては、廃棄物を再生資源として利用していけるかどうかというのは極めて大切な問題であります。

このために、消費者、市町村及び事業者の適切な役割分担のもとにおきまして、一般廃棄物のうち大きな割合を占めており、かつその利用が技術的にも可能な容器包装というものにつきましてリサイクルの抜本的な推進を図るために、今回この法律案を提出させていただきました。

今委員からも御指摘がありましたように、政府内におきましてはさまざまな角度からの論議が交わされ、この法律案をまとめてまいりましたわけでありますが、これによりまして、国民全体がリサイクル社会の担い手となっていただきますように、そうした廃棄物の減量化と資源の有効利用が進められることを心から願っております。

○井出正一厚生大臣

ただいま通産大臣の御答弁にありましたように、最近一般廃棄物の量が大変増加し、その最終処分場も極めて逼迫状況にございます。この法案は、この一般廃棄物の増大と最終処分場の逼迫の問題を解決し、国民の生活環境の保全を図るために、一般廃棄物の多くを占める容器包装廃棄物について、消費者また市町村及び事業者の役割分担によってその減量化、リサイクルを進めるものでございまして、廃棄物を単に燃やして埋める処理から循環型の処理への転換に向けて大きな一歩を踏み出したものと認識しております。

この法案は、市町村を初めとする関係者の皆さんの大変熱い期待にこたえるものだと考えておりますから、ぜひとも早急に成立をさせていただきたいと思うものでございます。

○宮下創平環境庁長官
本法案に対する基本的な考え方を申し上げますと、委員御承知のように、昨年の十二月に環境基本計画というものを策定いたしました。これは包括的、総合的な閣議決定レベルの計画でございまして、我が国で最初の画期的なものだと存じます。その中で、循環とか共生とか参加とか国際的取り組みという四つのキーワードを設けておりますが、その循環型社会を構築するという意味で本法案の位置づけを考えております。

特に、廃棄物・リサイクル対策というのはそういう意味で環境政策の重要な柱でございまして、本法案におきましても、第三条でございますか、基本方針を策定する主務大臣に環境庁長官がなっておりまして、この基本方針の策定を通じまして本法案が環境保全に十分な効果が発揮できるように努めてまいりたいと思っております。

そしてなお、環境基本計画の中におきましては、この廃棄物・リサイクル対策の基本的な考え方として四つの点を挙げております。すなわち、一つは発生を抑制するということ、それから二番目はリターナブルだとかあるいはリユースという再使用、それから三番目がリサイクル、四番目が適正処理ということで、そういう原則に沿ってより一層の対策を講じてまいりたいと思いますから、本法案に対して私どもは全面的に賛意を表し、この実効性のある実行を期待したいと思っておるところでございます。


政府側の説明としては、一般廃棄物の増大により最終処分場が逼迫し、自治体から悲鳴があがっている状況が述べられています。その一方で、主要な資源の大部分を輸入に依存している現状で、廃棄物を再生資源として利用することが重要であると説明しています。そこで、一般廃棄物のうち大きな割合を占めており、その利用が技術的にも可能な容器包装というものについて、リサイクルの抜本的な推進を図るのが法案の趣旨であると答弁されました。

そして、平成七年当時の議論の前提として押さえておきたいポイントが何点かあります。

平成七年時点では、一般廃棄物のうち大きな割合を占めている容器包装廃棄物の対象は、プラスチック製買物袋（レジ袋）ではなく、ペットボトル・瓶・缶・箱などのゴミが主な対象であり、議論の中心になっていました。紙類やプラスチック製のゴミ問題に関しては、将来的な課題とされています。その理由は、当時、ゴミ処理時にダイオキシンが発生し、環境汚染につながることが議論の前提とされていたためです。

また、各大臣の答弁にもあるように、ゴミが増えてゴミ処理能力を超えており、自治体は限界であるため、国が動かなければならないというロジックが当時の議論にはありました。人口増加によってゴミの排出量が増加し、ゴミの処分場を増やす必要が自治体にはあるのですが、新たなゴミ処分場を確保出来ないため「ゴミ自体を減らすしかない」というのが議論の柱でした。

そして、宮下環境庁長官は容器包装リサイクル法に対する基本的な考え方として、平成五（一九九三）年に制定された環境基本法に基づいて定められた、第一次環境基本計画を前提としている見解を示します。宮下環境庁長官は同計画では、環境政策の長期的な目標として四つを掲げます。

①環境への負荷の少ない循環を基調とする経済社会システムの実現
②自然と人間との共生の確保
③公平な役割分担の下でのすべての主体の参加の実現
④国際的取組の促進

第一次環境基本計画の廃棄物・リサイクル対策の基本的な考え方は、①発生を抑制、②リターナブルなどの再使用、③リサイクル、④適正処理の四つを原則とすると述べて、政府の見通しとしては、分別収集率が九〇%になると、ゴミの最終処分量は現在量より五五%減少するとしていました。

規制強化を求める野党議員

容器包装リサイクル法を制定するにあたり、当時の政府側の環境規制における議論の前提をまとめましたが、当時の野党側は、環境規制に対してどのような議論を展開していたのか、いくつか紹介していきます。野党の議員の中には「与党の環境規制はぬるい！」と批判的なスタイルの議員がいました。
日本新党の小泉晨一衆議院議員は、自身でリサイクルショップを経営し、事業を拡大してきたリサイクル活動家であり、自身のイデオロギーに基づいた発言を中心に行っていました。

（第132回国会　衆議院　商工委員会厚生委員会農林水産委員会環境委員会連合審査会　第1号　平成7年5月31日）

〇小泉晨一衆議院議員
小泉晨一でございます。
私は、この法案の根底には二つの潮流があると理解をいたしております。一つは、市民参加の資源化の仕組み、もう一つは、もうこれ以上お金をかけないごみ処理の仕組み、これらのことをよりダイナミックに社会システム化し、ごみゼロ社会を目指すんだ、こういうことが根底に流れていると確信をしている一人であります。

そして、通商産業省の委員がゴミ処理にかかるコストについて答弁をすると、小泉衆議院議員は「我々の想像を超えるコストが実は容器にかかっている、こういったことを適宜的確に市民に知らせる、実はこのことがこの法案をより効果的に運用する一助になるだろうという観点を持っているわけであります」と述べて、繰り返し使用出来るリターナブル瓶の規格統一を主張します。

この主張に対して政府側は「どんな色の瓶を使うかというのは、これは一義的には実は中身の製造事業者が商品戦略として判断すべきことだと思います。政府が介入すべきことではありますまい。と同時に、これは私、物によってはむしろ内容物を光から遮るために遮光性の瓶を使う必要がある、そのために色つきの瓶を採用しなければならないといった商品もあるんじゃないかと思います。そういうものがもしあるとすれば、これは透明な瓶では代替できない」と答弁し、再商品化事業者への支援や税制優遇など、企業へのインセンティブを与えることを考えていると回答しています。

この時点の政府の考えとしては、国民に対する経済活動の自由の侵害について配慮をしていたと言えます。

他の野党議員としては、海江田万里衆議院議員が「大量生産、大量消費それから大量リサイクルであってはだめなんで、それをできるだけ大量生産から適正な生産に、適正な消費に、適正なリサイクルにという方向性が打ち出されなければいけない」と主張し、「今回の法律の問題点としまして、中小企業に対する特例と、それから零細企業、小規模事業者に対する方の適用除外というものがしてあるわけですけれども、私は、これは消費税なんかの減税措置とかなんかと全く違う性格のものでありまして、やはりこの環境の問題についいては、汚染者負担でありますとか排出者負担でありますとか、こういう原則は貫かれていなければいけないと思うのですね」と、特例を設けずにすべての事業者に規制をかけるように求めています。決して拡大することのないものとして〝適正な〟生産量と〝適正な〟消費を主張するということは、経済成長の否定につながる主張とも言えるのですが。

海江田衆議院議員の質問に対して政府委員は、「小規模企業については、中小企業基本法二十三条によりまして、政府が施策を講ずるときに特に特段の配慮をするということになっておりまして、小規模企業の経営資源は非常に劣るわけでございます。その全体の手続面での負担あるいはその行政効率等を考えまして、適用除外とさせていただいたわけでございます」と、規制の導入によって大企業よりも大きな影響を受ける中小企業に対する配慮をするという答弁を行います。

これに対して海江田衆議院議員は「通産省はそういう理屈でいいかもしれませんけれども、環境庁、もしお見えになっていたら、今の理屈をそのまま認めてしまっていいことかどうなのか、御答弁願いたいと思います」と中小企業に対する配慮を根本から否定し、その後は容器包装リサイクル法に関連する指定法人が天下り先になる可能性について質問をしていきました。このような野党側からの議論を見ていくと、平成七年当時から環境対策に強い規制を設ける主張がなされていたことがわかります。

レジ袋規制の大本は「SDGs」？

容器包装リサイクル法に関する審査会において新進党の鴨下一郎衆議院議員は、平成四（一九九二）年六月にブラジルのリオデジャネイロ市で開催された「環境と開発に関する国際連合会議」（通称：地球サミット）で採択された「21世紀に向けた持続可能な開発を実現するために各国および関係国際機関が実行すべき行動計画」、いわゆる「アジェンダ21」が、平成五年の環境基本法の制定につながり、今回の容器包装リサイクル法が制定される流れになっているという認識を示しています。

「アジェンダ21」は、①社会的・経済的側面、②開発資源の保護と管理、③主たるグループの役割強化、④実施手段の四側面で構成され、条約のような拘束力はないが、国境を越えて地球環境問題に取り組む行動計画として、各国内では地域にまで浸透するように「ローカルアジェンダ21」が策定され、推進されました。そして、日本の環境基本法の制定につながります。

また、同サミットでは共同リオ宣言が採択され、いわゆるＳＤＧｓ（持続可能な開発目標）の概念が初めて具体化しました。なお当時はＳＤＧｓ（Sustainable Development Goals）ではなく、ＳＤ（Sustainable Development）の概念で考えられていました。

「ＳＤＧｓ」につながる「ＳＤ」の理念は日本が生み出した

ＳＤＧｓとは、平成二十七（二〇一五）年九月にアメリカのニューヨークで開催された国連の「持続可能な開発サミット」で採択された「持続可能な開発のための２０３０アジェンダ」に記載された、二〇三〇年までに持続可能でよりよい世界を目指す国際目標です。

このＳＤＧｓの基となった「ＳＤ」の理念は、なんと日本から生み出されたものでした。まずＳＤの概念は、昭和五十五（一九八〇）年に国際自然保護連合（ＩＵＣＮ）、国連環境計画（ＵＮＥＰ）などが取りまとめた「世界保全戦略」が初出で、「世界保全戦略」とは、地球環境保全と自然保護の指針を示すものになります。

その後、昭和五十八（一九八三）年に日本の提案によって国連に「環境と開発に関する世界委員会（ＷＣＥＤ＝World Commission on Environment and Development）」が設置されます。この委員会の委員長には、ノルウェーの首相も務めたグロ・ハーレム・ブルントラント氏が就任し、通称ブルントラント委員会と呼ばれます。

昭和六十二（一九八七）年の同委員会の最終報告書「Our Common Future」（邦題『地球の未来を守るために』、通称「ブルントラント報告」）では、「将来の世代のニーズを満たす能力を損なうことなく、今日の世代のニーズを満たすような開発」として、ＳＤの理念が掲げられます。

世界の持続可能な開発を目指すということは、先進国と開発途上国の双方で持続可能性を追求することであり、世界の南北問題とも関連が深く、持続可能な開発を実現するためには、開発・貧困解消と環境保全のために政府開発援助はどのようにあるべきか。国境を越えた直接投資はどのようにあるべきか。環境保全を理由とした貿易制限（関税・非関税障壁）はどのようにあるべきか。という、あくまでも経済協力の形で持続可能な経済成長を目指す。この中には当然、乱開発による環境破壊対策も含む。

これが、当時の日本が国連に委員会を設置して主張し始めたSDの本来の理念になります。

日本がこのように主張した背景には、日本国憲法との関係で国際貢献において自衛隊を国外に出すことが困難な状況であったことが関係しています。自衛隊を国外に出さないで国際貢献をするにはどうするべきか、世界第二位の経済大国であるというプレッシャーがある中で考え出された代替え手段として、貧困の解消や南北問題、環境問題対策という案が出てきて、SD（Sustainable Development）の理念を主張することになったのです。

新進党の鴨下一郎衆議院議員も審査会において、「持続可能な開発の推進と実践こそが国際社会から尊敬される日本への道であり、環境分野での日本の国際的なリーダーシップの発揮がすぐれて平和的な国際貢献の方策であるというふうに私は考えます。日本政治の資質が今世界から問われているわけでございますが、これら持続可能な開発をみずから実践することが日本のあり方なんだろうと思います」という認識を示しており、自衛隊を出さないで国際貢献をする、という発想から環境分野で日本がリードしていこうと考え出されたことがわかります。

平成四年六月に閣議決定された、日本の援助政策の基本原則となっているＯＤＡ大綱にも環境分野における国際貢献を目指すことが書かれています。

日本のＯＤＡは米国とともに世界有数の規模となったが、あまりにも経済偏重で〈理念なき援助〉といわれてきた批判に応えて、ＯＤＡの基本理念として、人道的考慮、国際社会の相互依存性の認識、環境保全、自助努力の支援をまず挙げ、①環境と開発の両立、②軍事的用途への不使用、③被援助国の軍事支出と武器輸出入の動向に注意、④途上国の民主化、基本的人権の促進、市場指向型経済の導入への注意などを諸原則とするとし、援助の対象としてはアジアを重視、特にＬＤＣ（後発発展途上国）重視が大綱に書かれました。

当時の政治の潮流を見ると、ＰＫＯ協力法（国際平和協力法）が平成四年六月に公布されます。また、自民党の小沢一郎衆議院議員が『日本改造計画』（講談社、一九九三年）

の中で、国際貢献の文脈で「環境」を言い出したことから、環境政策が国内政治を制約し始めたということが見えてきます。

そのような政治の潮流の中、国際会議の場で日本が提案した環境対策による国際貢献政策が日本への外圧となり、日本の国内政策に制約を及ぼすことになります。日本自らが生み出した外圧がブーメランのように戻ってきた結果として、平成七年の容器包装リサイクル法が制定されていくのですが、このような当時の状況を鴨下衆議院議員は得意げに話していました。

（第132回国会　衆議院　商工委員会厚生委員会農林水産委員会環境委員会連合審査会　第1号　平成7年5月31日）

○鴨下一郎衆議院議員

私はこのちょうど一年前の五月二十五日から開催されました国連の持続可能な開発委員会、いわゆるCSDに、羽田内閣の政府代表として出席してまいりました。この会議上で、地球環境と持続可能な開発という観点では、先進国は既に過剰生産、過剰消費であり、ライフスタイルを早急に変えるべきであるとの意見が各国の大臣から出されまして、非常に私自身、印象深く感じたわけでございます。

持続可能な開発の推進と実践こそが国際社会から尊敬される日本への道であり、環境分野での日本の国際的なリーダーシップの発揮がすぐれて平和的な国際貢献の方策であるというふうに私は考えます。日本政治の資質が今世界から問われているわけでございますが、これら持続可能な開発をみずから実践することが日本のあり方なんだろうと思います。

鴨下衆議院議員は「先進国は既に過剰生産、過剰消費であり、ライフスタイルを早急に変えるべきである」と述べて、とにかく消費を抑制することを主張します。ただし、平成七年の段階ではバブル景気の影響が残っており、経済拡大が進み過剰消費が問題とされていたという時代背景が一応ありました。

また、鴨下衆議院議員は国会での質問において「アジェンダ21」の内容を引用しています。

○鴨下一郎衆議院議員

アジェンダ21の項目に「廃棄物の発生をできる限り少なくすること」という項目がございます。「社会は、山のように大量に廃棄される製品や材料を、いかに処理するかという問題に効果的に対処する方法の開発を求めている。各国政府は、産業界、家庭及び国民とともに、以下の方策によって廃棄物を抑制するために一致協力すべきである。」一つには、「工業プロセス及び消費においてリサイクルを奨励する。」二に、「製品の無駄な包装を少なくする。」三に、「環境上より適正な製品の導入を奨励する。」

この行動計画の日本国内における一つの具体化が本法案の趣旨であると私は考えております（中略）

鴨下衆議院議員が述べた「アジェンダ21」の過剰消費を抑制していく項目の具体化が、容器包装リサイクル法の制定へとつながっていくことになるのです。

一九七〇年の環境規制は一定の成果を上げていたが…

日本の環境関係の法律の基盤は、昭和四十五（一九七〇）年一月末に開かれた臨時国会（第六十四回国会）で整備されました。この臨時国会は、当時の公害対策を求める世論の高まりで、政治の中でも公害問題が大きな話題となり、公害問題に関する集中的な審議が行われたため「公害国会」とも呼ばれています。

橋本龍太郎通産大臣は、国会答弁にて「公害国会」を振り返り、「公害国会」で日本の環境関係の法律のベースが出来て、新たな産業需要を創出したことで一定の成果を上げたが、ゴミ問題はその時に放置してしまった、という認識を述べています。

（第132回国会　衆議院　商工委員会厚生委員会農林水産委員会環境委員会連合審査会　第1号　平成7年5月31日）

○橋本龍太郎通商産業大臣

先日同様の御質問を商工委員会で受けましたとき、私は昭和四十五年秋の、今俗に公害国会という呼び名で記憶されております臨時国会を顧みて、みずからの先見性のなさを恥じるという御答弁を申し上げました。この国会は、ある意味では我が国の環境行政に大きな転換点を来した臨時国会であり、現在の環境関係の法律の大半はこのときに整備された国会であります。

しかし、私は実はその当時、厚生省の政務次官でありましたが、当時厚生省の公害部の二人の課長から、ごみの問題を公害問題として、環境問題としてとらえるべきだという提起がありましたことを、その当時マスコミも学者も行政の大半も、そして世間全般も黙殺したこととあわせて、その先見性に改めて深い敬意を表するということを申し上げました。もしこの公害国会の時点におきまして、当時厚生省の二人の課長さんが提起をされたようにごみの問題というものを、廃棄物の問題というものをきちんと位置づけておったなら、恐らく我が国は大きく変わっていたと思います。

しかし、その翌年我々は環境庁を創設して、まさに公害問題というものに真正面から取り組まなければならなくなりました。環境庁創設二十周年の年、その年の環境白書は、二十年前を振り返り、その当時我が国が行いました投資というものが一体我が国経済にどのような影響をもたらしたのかを分析をいたしました。そして、これは非生産的経費でありながら、結果として成長のマイナスにはならなかった、むしろ新たな産業需要を創出した部分もあるという指摘がなされたところであります。

「環境庁創設二十周年の年、その年の環境白書は、二十年前を振り返り、その当時我が国が行いました投資というものが一体我が国経済にどのような影響をもたらしたのかを分析をいたしました。そして、これは非生産的経費でありながら、結果として成長のマイナスにはならなかった、むしろ新たな産業需要を創出した部分もある」という成功体験の認識を橋本通産大臣は示して、平成七年の日本において新たな環境規制（容器包装リサイクル法）を導入しても、昭和四十五年と同様に新たな産業需要を創出するという経済効果があるのではないかと期待をしていました。

橋本通産大臣は環境規制の導入による新たな産業需要の一例として、再生紙の利用促進（再生紙ビジネス）を挙げています。ですが、再生紙ビジネスは後年になってから、さまざまな問題が明らかになります。

環境規制による新たな産業…再生紙ビジネスにおける問題

ここからは、環境関係の規制の問題の一例として、再生紙ビジネスについて紹介していきます。

昭和四十年代の日本では、社会的に環境保護への関心が集まっていました。昭和の終わりになるとバブル景気に批判的な人々が〝清貧〟を声高に叫びはじめ、それが一定の支持を得るようになります。そして、これが資源保護の発想と結びつきリサイクルが社会的に注目されるようになります。

こうして、平成三（一九九一）年、再生資源の利用の促進に関する法律（リサイクル法）が施行されましたが、前年の平成二（一九九〇）年に日本製紙連合会（製紙会社で構成された業界団体）は、リサイクル五五計画というプランを打ち出していました。このプランは、五年間で古紙利用を五五％に上昇させるという内容で、製糸業界としても再生紙の生産を積極的に行う方針を固めていました。

たとえば当時の郵政省も、この流れを後押しする形で、林業経済学者・環境学者の福岡克也（当時、立教大学教授）を座長とした会議を立ち上げて、再生紙をはがきの用紙として利用することを検討していきます。

会議では、製紙会社の関係者から「現状の技術水準ではリサイクル率を急激に引き上げることは出来ない。品質を劣化させるだけだ」と反論が述べられますが、議論の結論は再生紙推進派に押し切られる形で「最終的に四〇―五〇％までは古紙利用が可能」という報告にまとめられてしまいます。

報告を受けた郵政省は平成四年から、古紙配合率四〇％の再生紙をはがきの用紙として利用することを決めて、製紙会社に発注をかけました。

発注を受けた製紙会社の中で日本製紙などは、工場内発生損紙も古紙として、古紙パルプ六％と合わせた合計三十％の古紙を利用した再生紙をテスト生産しました。この結果を受けて、近い将来に技術革新が行われれば配合率四十％も実現可能と判断し、郵政省から受注を開始します。

そして、平成四年発行のグリーンエコーはがきに再生紙が導入されました。

グリーンエコーはがきとは何かというと、企業などの広告を掲載することで額面から五円割り引いて販売するエコーはがきのうち、特に環境（エコ）という名称をつけて、額面四十一円に対して四円の環境保護の寄付金を上乗せしたもので、広告をつけて四十円で販売されたはがきです。また、平成八年用の寄付金つき年賀はがきにも再生紙が用いられることになります。

当初、古紙配合率三十％のうち工場内発生損紙が二十四％を占めることになっていたのですが、損紙の二十四％は古紙として認められないことが受注後に判明しました。この時点で将来的な古紙配合率四十％の再生紙の生産は不可能な状況になります。それでも、日本製紙をはじめ各製紙会社は、品質を確保することを優先して配合率を下げた再生紙の納品を続けることになります。再生紙を利用して環境に配慮した年賀はがきという宣伝は、政策側の無茶な要求に製紙会社が答えようとしたため、再生紙の偽造が行われている状況で始まりました。

平成七（一九九五）年は、戦後最高の円高が進行した年で、円ドル相場は一時期、一ドル＝七十九円七十五銭を記録しました。その結果として輸入パルプが大暴落し、古紙の引き取り価格も大幅に下落、古紙回収業者の商売が成り立たなくなり、転廃業が相次ぐことになります。古紙の回収費用も高くなり、円高の影響で新品の紙が安く輸入出来るようになり、格安で紙を使用出来る状況になっていました。

さらに、古紙回収業者に追い打ちをかけたのがウィンドウズ九五の発売です。日本国内でもパソコンのユーザーが一気に増加していきます。当時はパソコンの普及によってペーパーレス化が進んでいくと思われていましたが、パソコンの普及と同時にプリンターも普及していきます。結果として紙の消費量は爆発的に増えていきました。

紙の市場は拡大をしていくものの、コストと品質の両面から再生紙を利用するメリットが大きく低下し、利用者が減少していきます。その一方で紙ゴミの量が急増していくことになります。そこで、東京都の場合は紙ゴミ処理対策として、紙ゴミの発生源を事業所に定めて、事業系ゴミの全面有料化を行います。そして、紙類を含むリサイクルゴミの回収業者に対して補助金を支給することで、安定的に古紙回収が行われるシステムを作ろうとしました。すると、政策の効果があらわれて古紙相場は下落していくのですが、古紙業者が補助金目当てで拡大していきます。

国内の製紙会社は、円高の影響もあり、割高になった古紙を原料にはせずに海外の輸入原料を使用しました。そのため、国内で回収された古紙は海外に輸出されていくことになりました。

古紙業者は過剰在庫を抱えるよりも海外へ古紙を輸出して赤字になっても仕方がないと考えていましたが、ウィンドウズ九五の登場で国際的な紙の需要が高まっていきます。国内では為替の影響で古紙価格が暴落し、国際市場では需要増加で古紙価格が上昇、古紙の輸出で黒字となる業者が出てくるという歪んだ構造になってしまいます。

このような状況で古紙配合率四十％の再生紙をはがきの用紙に利用することは、コスト的に非現実なものになっていました。ところが、製紙会社はその事実を郵政省に報告することはありませんでした。郵政省も古紙市場の動きについては無関心で、見て見ぬふりを通して赤字を垂れ流していきます。

製紙会社の偽造した再生紙が年賀ハガキに使用されていることが社会的に明るみに出るのは、平成十九（二〇〇七）年以降になります。この当時は食品関係の偽装問題が相次いでニュースになっていました。北海道の食品加工卸売会社ミートホープによる挽肉偽装事件、人気土産の「白い恋人」の賞味期限改ざんや、伊勢の老舗和菓子屋の赤福の消費期限偽造、高級料亭「船場吉兆」による牛肉の産地偽造など数多くありました。そのような中、偽装問題が明るみに出たことに影響を受けた日本製紙の従業員がＴＢＳ系のニュース番組「ニュース23」に内部告発を送ったことで、再生紙入り年賀ハガキの偽装が表沙汰になりました。

話は戻って、平成七年の段階で橋本通産大臣が述べた、環境規制による新たな産業の一例としての再生紙ビジネスを薦めた時代背景にはこのようなものがあったのです。

日本製品に対する輸入障壁の対応としての環境規制

平成七年の容器包装リサイクル法の審査会では、公共投資基本計画で、廃棄物循環型のゴミゼロ社会を目指すことが目標として掲げられたことや、ＩＳＯ９０００（品質マネジメントの国際標準化）について話されています。

この時代は日本製品が世界を席巻している状況であり、対日貿易赤字を抱えている国が、合法的に日本製品を締め出す方便としてＩＳＯを利用してきていました。国際市場から日本企業が締め出されては困るので総務省は「ＩＳＯ９０００・ＩＳＯ１４０００を守りましょう」と言うのですが、ＩＳＯもアジェンダ21に連動をしている関係で「日本はアジェンダ21で環境問題を言い出したのに守らないよね」と海外から攻められる格好となり、日本は自ら生み出したものが外圧となるブーメランに苦しみます。その結果、日本政府が急いで出してきたのが容器包装リサイクル法で、ここまでが基本的な構図になります。

このような日本政府の動きに対して新進党の鮫島宗明衆議院議員は、「法案審議は拙速ではないか」と指摘しています。

（第132回国会　衆議院　商工委員会厚生委員会農林水産委員会環境委員会連合審査会　第1号　平成7年5月31日）

○鮫島宗明衆議院議員

今回のこの法律は、一般的にはそういう世界的な流れに沿った大変いい法律だ。やはりごみを出す方に全く責任がなくて、自治体だけに処理を任せていたのではどんどんごみがふえてしまう、少しでもごみの少ない社会をつくりましょう、あるいは省資源、省エネということを具体的に生かしていこう、そういう意味ではこの法律は大変評判がよろしいかと思います。

しかし、実は中身についてはほとんどわからない。この法律を読んでみてもわからないし、きょう傍聴の方たくさん来ていますけれども、どこまで具体的なイメージがこの法律から読み取れるかというと、恐らくほとんど読み取れない。大体、具体的内容の多くがすべて政省令にゆだねられていて、先ほど小規模事業者は売り上げ七千万以下だという御答弁もありましたけれども、そんなことこの法律案にはどこにも書いていない。（中略）

そもそも、これが連休前までなかなか省庁間の折り合いがつかなくて、四月二十八日にやっと法律案の形になって、実質的な内容の検討は連休明けから始まったわけですから、正味二十日くらいしか我々としても中身を検討することができなかった。国民一人一人に協力を要請して、それで初めて成立する法律ですから、本来でしたらもっとゆっくり、この永田町の場ではなくて、もっと国民的論議を巻き込んで、どういうリサイクル社会が理想なのかという話をしながら詰めていくべきものだという気がいたします。（中略）

提出理由はもちろん法文案の最後に書いてありますから、そこに書いてある部分については結構ですけれども、特に成立を急ぐ理由についてお答えいただけないか。これは、大変急ぐんだと言いながら、一方では、九八％の事業者を含む中小企業事業者のこの舞台への参加は平成十二年からでいいですよ、こう言っているわけですけれども、（以下略）

法案を決めて通すというのに国民に対する説明が何もないことを鮫島衆議院議員は指摘しています。しかし、審査会における政府側からの答弁を見ても、急いで法案を通さなければならない理由について具体的な説明はありませんでした。実際に五月の連休明けに法案内容の検討に入り、六月には法案が通るというスケジュールであったため、かなり官僚主導で法案が通ったと言えます。官僚が決めたら終了という典型例の一つが容器包装リサイクル法の成立であったように思われます。ちなみに、法案審議においては、環境関連の特殊法人が新設されて新たな利権が生まれることを懸念した指摘もされていました。

九〇年代のレジ袋に対する政府見解が明らかに

新進党の大野由利子衆議院議員と宮下環境庁長官の議論のやり取りを見ていくと、環境規制を強めていきたい野党議員の様子が見えてきます。

（第132回国会　衆議院　商工委員会厚生委員会農林水産委員会環境委員会連合審

査会　第1号　平成7年5月31日）

○大野由利子衆議院議員

今回の法案は、とりあえず、ともかく最終処分場が逼迫をしているものですから、ごみの廃棄物を減らさなきゃいけない、ともかくリサイクルをふやそうという、そういう観点からつくられた法案である。しかし、先ほど申しましたような文明そのものを見直していこうというところの視点は弱いんじゃないか。（中略）

地球環境という視点がこの法案にないな、そのように感じております。今回の法案を進めることによって、場合によってはかえってCO2の排出がふえてしまう、かえって地球温暖化を利することになってしまうとかまた、リサイクルのために大量の水を使って水を汚染してしまう、そういうようなこともございますでしょうし、フロンの排出抑制とかというようなことにも全く触れられていないとか、地球環境という点からの視点がこの法案には全くない、そう言えるんじゃないかと思っております。

容器包装リサイクル法には、文明そのものを見直す視点が弱いところを指摘し、地球環境という視点が法案にない、と言う大野衆議院議員からは、環境規制をもっと強めていきたいという思惑が窺えます。

大野衆議院議員の指摘に対して宮下環境庁長官は、今回の法律は容器包装廃棄物に限定をしたものであり、あらゆる地球環境問題を包含するわけにはいかないと述べています。

○宮下創平環境庁長官
今回の法律というのは、あくまで容器包装廃棄物に限定をいたしまして、リサイクルの循環型社会を構築するという視点で構成されているものでございますから、あらゆる地球環境問題をこの中に包含するわけにもまいらないわけですね。


また、大野衆議院議員と政府側とのやり取りで興味深い部分があります。

大野衆議院議員は、ゴミの分別収集によってコストが増大することについて、市町村の負担が増えることへの懸念（事業者負担の増加を期待するようなニュアンスを含む）を示し、特定容器は主務省令で定めるという点について、具体的には何を想定しているのかという質問を政府側に投げかけます。

この質問に対して、太田信一郎通商産業大臣官房審議官が、「具体的にはアルミ製食缶、ガラス製酒瓶等が該当することになると思います。いずれにしても、主務省令で定めることになると思います」と答えます。

さらに大野衆議院議員が、「スーパーでいただくビニールのレジ袋、それも入るのかどうか。それから特定包装、これも『容器包装のうち、特定容器以外のものをいう。』このように法案に書かれておりますが、特定包装というものはどういうものを想定していらっしゃるか伺いたいと思います」「デパートでもらう紙袋は一体特定容器なのか特定包装なのかどちらになるんでしょう。また、特定包装というのは再商品化の義務が課せられるのでしょうか、課せられないのでしょうか」と質問を重ねます。

太田通産大臣官房審議官からは、「スーパー等で使われるレジ袋は特定容器に含まれます。特定包装については、例えばデパート等の包装紙あるいはフィルムとかラップ等が考えられる」「デパートの紙袋は特定容器に含まれます。それから特定包装についても、当然のことながら、包装を使う中身事業者の方は再商品化義務が課せられる」と答弁がなされて、レジ袋やデパートの紙袋は特定容器に含まれることを政府見解として明確に示しています。

○太田信一郎通商産業大臣官房審議官

今回の法案の趣旨が、容器包装を使われる方あるいはつくる方に一度費用を負担していただく、再商品化義務をかけさせていただくことによって、素材の転換等、あるいは重さとか大きさ等を変えていただくインセンティブが働く、そういうことを通じて社会的費用をミニマイズするという趣旨で義務者となっていただいたわけでございます。

先ほど申しました包装紙等については、包装紙をつくる方はおられるわけですが、御案内のように紙自身は文房具に用いられたり、あるいは場合によっては家庭で壁紙等に用いられたりということで、それ自身、包装という最終的には役割を果たす部分ができるわけでございますが、そういう方々に義務をかけたとしても、素材の転換等を期待することはできないということで、特定包装については、包装を使われる中身事業者のみに義務がかかることになっております。

さらに、太田通産大臣官房審議官はレジ袋などの特定包装を作成するための素材については規制をしないという答弁を行っており、あくまで容器包装リサイクル法の規制の対象は、特定包装を容器として使用する場合に規制が適用されるとしています。この時点のロジックで言えば、レジ袋にデパート宣伝広告を掲載して「これは宣伝チラシです」と言って無料で配布するのは問題がないということです。

そして、大野衆議院議員からは、そもそも、リサイクルの対象が分かりづらいのではないか、容器包装リサイクル法の対象を明確化してはどうか、という疑問が呈されて特定容器についての質問が終わっていきます。

○大野由利子衆議院議員

デパートでいただく紙袋、またスーパーで受け取るレジ袋が特定容器になる、特定包装じゃなくて特定容器になるという、こういう御答弁だったと思うのですが、これはなかなか一般市民の皆さんにわかっていただくのは難しいのじゃないか。どこがこれ容器がな、包装じゃないかというようなむしろ気持ちを持ちますし、特定包装は今回義務化から外されているということで、この辺の基準が何かもう一つよくわからないなという、そういう感じがいたします。

レジ袋省令の根拠法令の制定までのまとめ

ここまでが、今回の研究対象としたレジ袋省令の根拠法となる法令「容器包装リサイクル法」の制定までの歴史的背景になります。

容器包装リサイクル法の議論が出てきた趣旨をあらためて確認すると、第一に日本国内のゴミ問題の解消が議論の原点でした。地球環境問題というのは別の哲学の問題であり、入れたいけれども入れられないということで、容器包装リサイクル法を制定する議論には入っていませんでした。

容器包装リサイクル法に関する議論の中で、国際貢献や国際的な取り組みについての話がありましたが、その背景には一九八〇年代に日本国憲法との兼ね合いで自衛隊による国際貢献が難しいという中でＯＤＡによる国際貢献という話が出てきたことに始まります。

国際的に環境問題に取り組み始めた時期に日本側からも環境問題に意見を述べるようになり、その結果として、平成四年の地球サミットで「アジェンダ21」という国境を越えて環境問題に取り組む行動計画が作られました。その後、アジェンダ21にＩＳＯも連動して、日本に対する外圧が働き、日本国内で環境規制が作られていくことになります。日本発信のものが外圧として日本への負担になってしまったということです。

そのような状況で環境規制を新たに作るのですが、九〇年代前半の日本はバブル景気の余韻もあり、多少の鈍化はあっても今まで通りの経済成長が続くとの楽観論が大勢を占めていました。容器包装リサイクル法の制定時に通産大臣を務めた橋本龍太郎衆議院議員は、七〇年代の日本国内で公害対策や環境規制が始まった時期に厚労政務次官を務め、環境規制を乗り越えて日本企業は技術革新をしたという成功体験を持っていました。そのため、九〇年代の日本で環境規制を新たに設けても大丈夫だと信じ込んで、容器包装リサイクル法の制定に動き出したというのが、レジ袋省令につながる話の原点になります。

また、国会での議論を見ていくと九〇年代の時点で海江田衆議院議員のように、環境問題に取り組んでいくに辺り、消費を抑制させて経済成長を否定するような主張が見られてきます。

そして、九〇年代から十年後の議論を続けて見ていくと、SD（将来の世代のニーズを満たす能力を損なうことなく、今日の世代のニーズを満たすような開発）という概念がSDGsとなり、日本国内においては、環境問題に特化する議論に変質していくことが分かります。

容器包装リサイクル法の制定後の動き

平成七年六月十六日、容器包装リサイクル法は公布された後、同年十二月六日に「容器包装に係る分別収集及び再商品化の促進等に関する法律施行令の一部を改正する政令」、十二月十四日に「容器包装に係る分別収集及び再商品化の促進等に関する法律の施行期日を定める政令」と「容器包装に係る分別収集及び再商品化の促進等に関する法律施行令」が出されて、十二月十五日の施行に至ります。

その後、容器包装リサイクル法に関する動きとしては、平成九（一九九七）年十二月三日の「中小企業基本法等の一部を改正する法律」などがあります。

容器包装リサイクル法の施行段階では、容器包装に関わる事業者側で自主回収または委託回収をする必要があるなど、事業者側の責任や負担が重いということで、中小企業を対象とした経過措置が追加されました。

中小企業基本法第二条第一項に規定する中小企業者（第一条の規定による改正前の中小企業基本法第二条に規定する中小企業者を除く。）に対する容器包装に係る分別収集及び再商品化の促進等に関する法律（平成七年法律第百十二号）第十一条から第十三条までに規定する再商品化義務に係る同法附則第二条第一項の規定による適用除外期間が、平成十二（二〇〇〇）年三月三十一日までの間は、適用されないことになります。その後、平成十二年四月一日からは、中小企業も含めた容器包装に関わる全ての事業者に容器包装リサイクル法が適用されました。

平成十五（二〇〇三）年六月十八日には、「廃棄物の処理及び清掃に関する法律の一部を改正する法律」というゴミ収集に関する法律の改正が行われました。この改正が容器包装リサイクル法の改正に絡んできます。改正内容で特に重要なのが、

法律第九十三号（平一五・六・一八）
◎廃棄物の処理及び清掃に関する法律の一部を改正する法律
（容器包装に係る分別収集及び再商品化の促進等に関する法律の一部改正）

第十四条　容器包装に係る分別収集及び再商品化の促進等に関する法律（平成七年法律第百十二号）の一部を次のように改正する。

　第十条第四項中「廃棄物処理法第六条の二第六項に規定する手数料の額を定める場合において当該分別の基準に従い適正に分別して排出される容器包装廃棄物以外の一般廃棄物の排出量を勘案する等」を削る。


という、条文に書かれている一部の規制を削ると改正された部分です。つまり、平成十五年の時点では容器包装リサイクル法の規制緩和に向けて動いていたのです。

　その後、容器包装リサイクル法の附則に「（検討）第三条　政府は、この法律の施行後十年を経過した場合において、第五章、第六章及び第三十八条から第四十条までの規定の施行の状況について検討を加え、その結果に基づいて必要な措置を講ずるものとする。」と定めていたため、平成十八（二〇〇六）年六月十五日に法律の見直しが行われ、「改正容器包装リサイクル法」と呼ばれるようになります。この時に条文が大幅に変更されて、例えば、命令違反者への罰金上限が五十万円から百万円に引き上げられるなど、規制強化に舵が切られて、その後も規制強化の方向性で進んでいきます。

その一方で、平成二十三（二〇一一）年八月三十日の「地域の自主性及び自立性を高めるための改革の推進を図るための関係法律の整備に関する法律」が制定されて、規制強化を緩める動きが少しありました。

法律第一〇五号
地域の自主性及び自立性を高めるための改革の推進を図るための関係法律の整備に関する法律
（平成二十三年八月三十日）

容器包装に係る分別収集及び再商品化の促進等に関する法律の一部改正

第百八十四条
容器包装に係る分別収集及び再商品化の促進等に関する法律（平成七年法律第百十二号）の一部を次のように改正する。

第八条第二項第七号を削り、同条第四項中「都道府県知事に提出するとともに、公表しなければ」を「公表するよう努めるとともに、都道府県知事に提出しなければ」に改める。

第九条第二項第四号中「、当該都道府県」を「並びに当該都道府県」に改め、「その他の分別収集の促進」を削り、同条第五項中「環境大臣に提出するとともに、公表しなければ」を「公表するよう努めるとともに、環境大臣に提出しなければ」に改める。

それまでは、リサイクルの成果の公表が「義務」であったものが、この改正により「努力義務」に変更されました。おおむね規制強化の流れでいくのですが、ときどき規制を緩めていきます。

これ以後、法律としての動きは一旦なくなります。政令に関しては、平成七年の施行令が平成二十年に改正されたのが大きな動きとしては最後となります。

その後、空白の時期を挟んで、平成十八年の「小売業に属する事業を行う者の容器包装の使用の合理化による容器包装廃棄物の排出の抑制の促進に関する判断の基準となるべき事項を定める省令」（平成十八年財務・厚生労働・農林水産・経済産業省令第一号）の改正（令和元年十二月十七日）により、レジ袋有料化（全業種一律強制）が実施されていきます。

レジ袋省令が実施されるまでの流れを見ていくと、最初から一貫した目的があったというよりは、融通無碍に議論が変化していったことがわかります。容器包装リサイクル法が制定された平成七年を一つ目のポイントとして、二つ目のポイントとして平成十八年時点の容器包装リサイクル法の議論を見ていきます。

平成十七年～十八年…レジ袋有料化は「憲法違反の疑義がある」と指摘されていた

平成十八年に財務省・厚生労働省・農林水産省・経済産業省令第四号「小売業に属する事業を行う者の容器包装の使用の合理化による容器包装廃棄物の排出の抑制の促進に関する判断の基準となるべき事項を定める省令」が制定された時点では、「レジ袋有料化義務化」は憲法第二十二条に保障された「営業の自由」に抵触する疑義があることが各所から指摘されていました。ちなみに、この条文の中には「営業の自由」も含まれるとの解釈が確立されています。

日本国憲法第二十二条

何人も、公共の福祉に反しない限り、居住、移転及び職業選択の自由を有する。

実際に憲法違反の疑義を指摘する議論が国会では行われていました。例えば、平成十七（二〇〇五）年四月二十六日に環境省の廃棄物・リサイクル対策本部にて開催された、中央環境審議会廃棄物・リサイクル部会（第三十回）の議事録を確認してみると、リサイクル推進室長は憲法との関係でレジ袋などの無料配布を一律で禁止することは難しいと述べています。

平成十七年四月二十六日　中央環境審議会廃棄物・リサイクル部会（第三十回）
○リサイクル推進室長
（中略）いわゆるレジ袋対策、これにつきましては、いろいろな委員の皆様からご意見をいただいたところでございますが、ここは対応の方向にございますように、例えばスーパー等の小売店において無料配布しているレジ袋等について無料配布を一律に禁止するとか、そういった措置を講ずることでもって消費者の方の買い物袋の持参を強くプッシュするといったようなことなどが、廃棄物の排出抑制に有効ではないかといったようなことでございます。消費者の努力を強くプッシュするという意味でいっそ、もう一律禁止とか、そういった措置がとれないかというようなことで問題提起をしてございます。
ただ、率直に申しまして、検討課題にございますように、やはり法律等で規制をするというのは、法制的に本当にできるのかどうかというようなところは、かなり詰めを要すると思いますし、例えば日本国憲法との関係とか、恐らくそういったところまでさかのぼって議論をしなければいけないところだろうというふうに思っております。したがいまして、例えば法律以外の施策で措置することもまた可能なのかどうか、あるいはこれも委員の方から問題提起があったところですが、無料配布を禁止した場合に、容リ法の対象から現行の制度でいきますと外れることになっていきますので、これをどう考えるかというような課題もございます。

リサイクル推進室長は、環境活動家からの「消費者の努力を強くプッシュするという意味でいっそ、もう一律禁止とか、そういった措置がとれないかというようなことで問題提起」されたことに対して、法律で規制をするのは、法制的に本当に出来るのか、日本国憲法との関係までさかのぼって議論をする必要があるという環境省の判断を話しています。そして、リサイクル推進室長は、約一カ月後の中央環境審議会廃棄物・リサイクル部会（懇談会）においても同様の発言をしています。

平成十七年五月二十三日　中央環境審議会廃棄物・リサイクル部会（懇談会）

○リサイクル推進室長

（中略）前回、4月26日にご説明したときにも申し上げたとおりでございますが、法律による直接的な規制というのは、なかなか憲法との関係を含めまして難しいところもあろうかというふうに考えておりますけれども、いずれにしましても、何がしかの措置によりまして、この措置を講じる、かような方向に促進するといったようなことが進められないかというふうに考えておるところでございます。

リサイクル推進室長の発言というのは、平成十七年当時の環境省の認識を述べていると言えます。それに対して、環境法に関する専門家の意見ということで、早稲田大学法学部の大塚直教授が平成十七年六月十三日に開催された中央環境審議会廃棄物・リサイクル部会（懇談会）のヒアリングに招かれて、このような発言をしています。

平成十七年六月十三日　中央環境審議会廃棄物・リサイクル部会（懇談会）

○大塚直委員

（中略）レジ袋の有料化の話で、さっきの話なのでもうここではしない方がいいんでしょうけれども、ちょっとだけさせていただきますと、消費者の側から見ると、消費者の役割という観点から見ると、先ほど崎田委員が言われたように、レジ袋の有料化というのは、まさに消費者の役割を果たすためにやっていくことになるだろうと思います。法的措置については、私は新聞記者にしゃべったことが結構大々的に取り上げられたりしたことがございますが、営業の自由の観点は重要なんですけれども、ちょっと釈明をさせていただきますと、私は基本的に税でやった方がいいと思っていたんですが、それはともかくとして、チェーンストア協会の方から要請があるとか、実際に有料化によって影響を受けるところから要請が出ているということになると、営業の自由の問題もそれほど厳密にどうしても問題になるというようなことではないと思いますので、法的措置についてもかなり柔軟に考える余地はあるということをここで申し上げておきたいと思います。

ここで注目すべき大塚教授の発言は二点あり、一点目は「法的措置についてもかなり柔軟に考える余地はある」と述べている部分です。それまでの、営業の自由の観点からレジ袋有料化は憲法違反の疑義があるという認識に若干の修正が入っています。

もう一つの注目点は、「チェーンストア協会の方から要請があるとか、実際に有料化によって影響を受けるところから要請が出ている」という部分です。

じつは、レジ袋有料化によって利益を得ている業界も存在しています。端的に言ってしまうと、大手スーパーマーケットとコンビニエンスストアです。現在、日本国内で流通しているレジ袋の多くは海外からの輸入品になっています。そのため、国内のレジ袋製造業者は、レジ袋省令が実施される前から経営的には厳しい立場にありました。

レジ袋業界の市場は大きく二つに分けられていて、コンビニエンスストアやチェーンストア協会に所属する大手スーパーマーケットは輸入品のレジ袋を使用しており、国産のレジ袋を使用していたのは、中小企業のお弁当屋さんや観光地のお土産屋さんなどになっていました。このようなレジ袋業界の実態がある状況で、チェーンストア業界に属する大手スーパーマーケットやコンビニエンスストアはレジ袋有料化を求めていました。企業の規模が大きいため、レジ袋を有料で販売することで利益を上げることが出来る素地が元々あったためです。在庫管理に関しても、商品が一品目増えるという扱いになるだけなので負担も対してありませんでした。海外からの輸入品のレジ袋は一枚あたり一円しないため、有料（五円など）で販売出来るようになると利益率が非常に高くなるのです。「チェーンストア協会の方から要請がある」という、大塚教授の発言の背景というのは、このようなチェーンストア業界の要望を言っていたのです。

この時期に大塚教授はレジ袋有料化に前向きな発言をしましたが、レジ袋有料化は実施されずに、平成十八年に財務省・厚生労働省・農林水産省・経済産業省令第四号「小売業に属する事業を行う者の容器包装の使用の合理化による容器包装廃棄物の排出の抑制の促進に関する判断の基準となるべき事項を定める省令」が制定されました。

その翌年、平成十九年五月九日の衆議院経済産業委員会にて、民主党の太田和美衆議院議員がレジ袋の有料化について、あらためて憲法で保障された営業の自由の観点からレジ袋有料化が義務づけられていないことを発言しています。

（第166回国会　経済産業委員会　第10号　平成19年5月9日（水曜日））

○太田和美衆議院議員

きょうは、もう少し時間がありますので、この四月から改正容器包装リサイクル法が施行されておりますが、経済産業委員会ですので、経済産業省が担当する分野について何点かお尋ねしたいと思っております。

御案内のように、容器包装リサイクル法は、容器包装廃棄物の排出抑制に向けた取り組みを促進するため、昨年、法改正が行われました。これにより、小売業など指定容器包装利用事業者は、容器包装の使用量低減に関する目標を定めた上で、レジ袋の有料化やマイバッグ利用の促進、声かけなど、これを達成するための取り組みを計画的に行うことが義務づけられました。法改正では、憲法で保障された営業の自由の観点からレジ袋の有料化が義務づけられず、使用合理化の一つの例として例示されたにとどまり、この点が一つの論点だったわけですが、家庭ごみのうち、容積で六四％、重量で二四％を占める容器包装をいかに効果的に減らしていけるかが問われているのだと思います。

ここまでの議論を見ていくと、令和元（二〇一九）年にレジ袋省令が出来るまでは、レジ袋有料化に対して賛成派・反対派を問わずに、憲法第二十二条の「営業の自由」に対する違憲の疑義があるという、憲法上の理由からレジ袋有料化は難しいという認識が共有されていたことがわかります。

しかし、その認識があったにもかかわらず、平成二十二（二〇一〇）年頃から状況が変わり始めます。

平成二十二年以降…環境規制に関するトレンドに変化が現れる

レジ袋を環境対策として有料化することは憲法との関係で困難であるという認識が共有されていたにもかかわらず、平成二十二年以降、環境規制に関するトレンドに変化が起こる出来事が日本の国内外で発生していきます。

日本国内で環境規制のトレンドに変化が起きるきっかけとなった出来事は、平成二十三年三月十一日に発生した東日本大震災に伴って起きた福島第一原子力発電所の事故でした。

福島第一原子力発電所の事故を受けて平成二十三年八月十日に新設された内閣府特命担当大臣の一つが原子力損害賠償支援機構担当でした。主として原子力事故の損害賠償に関する行政を所管する国務大臣なのですが、創設後は環境大臣が兼務する形になりました。

それまでは経産大臣が原子力行政の担当を兼務してきたのですが、環境大臣が原子力行政の担当を兼務するようになり、経産省が原子力を推進してきたのとは逆に、環境省は原子力の規制に舵を切り始めます。少なくとも原子力の推進はせず、新設もしていかないというスタンスです。そして、原子力の代わりとなるエネルギーとして再生可能エネルギーを環境省は推進し始めます。日本国内の環境規制に対するトレンドに変化が起きたのがこの時期になります。

その前年、平成二十二年には世界的な環境規制に対するトレンドの変化が起きます。その変化とは、ＣＯ２排出権取引ビジネスの拡大です。

同年、国連の気候変動枠組条約の第四代事務局長にクリスティアナ・フィゲレス氏が就任するのですが、フィゲレス氏はＣＯ２排出権取引ビジネスで巨額の富を得た人物です。平成十一（一九九九）年、彼女はラテンアメリカ開発銀行で炭素金融プログラムを実施し、平成十三（二〇〇一）年にはオランダ政府を相手に四五〇〇万ユーロの排出権取引ビジネスを成立させた非常にタフなネゴシエーターとして実績を積み重ねてきました。このように環境規制の一つである排出権取引を巨額なビジネスとしてシステム化したのがフィゲレス氏だったのです。

ＣＯ２排出権取引という環境規制の枠組みを最大限に利用して実力者となったフィゲレス氏は国連の気候変動枠組条約事務局長に就任後、平成二十七年にパリで開催されたＣＯＰ21においてパリ協定の合意を成し遂げます。パリ協定における世界共通の長期目標として、温室効果ガス排出量の削減が取り入れられて、世界的な環境問題に対する枠組みが決まり、その影響は日本の環境規制に対する外圧の一つになりました。

国内では、原発事故後の再生可能エネルギーへの推進が始まり、世界的には排出権取引ビジネスの拡大が進み、国内外で環境規制が推進されていく状況が生まれてきた中で東京オリンピックの招致活動が平成二十三年から始まっていました。このオリンピックの招致、開催に向けても環境規制が大きく関わってくることになります。

東京オリンピック開催決定でレジ袋有料化決定!?…形式上は「有料化推奨」

　令和元年六月十五日と十六日の日程で、日本が議長国を務める「G20持続可能な成長のためのエネルギー転換と地球環境に関する関係閣僚会合」が開催されました。

　六月十五日の会合に出席した世耕弘成経済産業大臣は、突如として、令和二年開催予定の東京オリンピックまでに間に合うように、来年の四月一日にレジ袋有料化の実施を目指すと表明してしまいます。レジ袋有料化には憲法違反の疑義があるため難しいという問題が解決していないにも関わらず、世耕経済産業大臣の発言が端緒となって、東京オリンピック開催までのレジ袋有料化義務化に向けて省庁が動き始めます。

経済産業省
@meti_NIPPON
#G20 エネルギー・環境大臣会合において、世耕大臣より、#レジ袋 有料化について発信しました。早ければ来年開催予定の #東京オリンピック・パラリンピック に間に合うよう、来年４月１日にも実施できるよう、レジ袋の範囲や素材、中小小規模事業者への配慮など、具体的に検討していきます。
JAPAN
JAPAN
午前10:43・2019年6月15日 場所: 軽井沢プリンスホテルウエスト
46 件のリツイート　7 件の引用ツイート　80 件のいいね

引用：経産省 Twitter　2019 年 6 月 15 日の投稿
https://twitter.com/meti_nippon/status/1139709889050116096

　世耕経済産業大臣が突如として東京オリンピック開催までにレジ袋有料化を実現することを表明しましたが、じつは、東京オリンピックの招致が決定した平成二十五（二〇一三）年の前年に開催されたロンドンオリンピックの時点で、環境対策に大変注目が集まっていました。ロンドンオリンピック・パラリンピック組織委員会は、招致に名乗り上げた際に「オリンピック至上最も環境に配慮した大会」を目標に掲げていました。

オリンピック開催に環境対策が関係するようになったのは、平成四年のバルセロナオリンピックからですが、東京オリンピック招致の際も「環境を優先する２０２０年東京大会」を理念として掲げていました。そのため、オリンピック開催と環境対策としての規制への動きは結びつきやすいと言える状況ではあったのです。

そんな背景があって、日本政府はレジ袋有料化の法制化に向けて動き始めます。一体どうやって憲法違反の疑義を乗り越えるのかというと、さまざまな例外規定を設けるとともに「レジ袋の有償頒布を強く推奨する」という形式をとることで、「あくまでも強制ではない」ということで問題をクリアしていったのです。

令和元年十二月に出された経済産業省・環境省省令「プラスチック製買物袋有料化実施ガイドライン」では、「２０１９年5月に政府は『プラスチック資源循環戦略』を制定し、その重点戦略の1つとしてリデュース等の徹底を位置づけ、その取組の一環として

『レジ袋有料義務化（無料配布禁止等）』を通じて消費者のライフスタイル変革を促すこととした」と謳い始めます。

「プラスチック製買物袋有料化実施ガイドライン」には、有料化の対象となる事業者や買物袋が定められています。また、対象外の買物袋として、①プラスチックのフィルムの厚さが五十マイクロメートル以上のもの、②海洋生分解性プラスチックの配合率が一〇〇％のもの、③バイオマス素材の配合率が二十五％以上のもの、の三種類も定められていました。

つまり、レジ袋有料化に対して、大きく三つの例外規定を設けることで、レジ袋の無料配布を可能としているため、憲法第二十二条の「営業の自由」を保障しているということにしました。そして、有料化は一律強制ではないというのが政府の姿勢となりました。

後述しますが、無料配布可能なレジ袋が例外規定によって定められている事実は十分に国民に周知されず、「レジ袋有料化義務化」という誤った認識が広まったまま、レジ袋省令は実施されていくことになります。

この「レジ袋有料化義務化」は「レジ袋有料化推奨」であったという事実を救国シンク

タンクの「アクティビストのための調査手法モデル化」研究を通して明らかにしたことは、重要な成果の一つになりました。
そして、本研究の調査の一環として実施した官僚へのヒアリングを通して、「プラスチック製買物袋有料化実施ガイドライン」に大きな問題があることも明らかにしていきました。

ガイドラインの問題点…経済産業省官僚へのヒアリング

令和元年十二月に制定された「プラスチック製買物袋有料化実施ガイドライン」の冒頭には、このような文言が記載されています。

「プラスチック製買物袋有料化実施ガイドライン」
令和元年12月　経済産業省・環境省

1. プラスチック製買物袋有料化制度の背景・概要

プラスチックは短期間で経済社会に浸透し、我々の生活に利便性と恩恵をもたらしてきた。一方で、資源・廃棄物制約や海洋ごみ問題、地球温暖化といった、生活環境や国民経済を脅かす地球規模の課題が一層深刻さを増しており、これらに対応しながらプラスチック資源をより有効に活用する必要が高まっている。こうした背景を踏まえて2019年5月に政府は「プラスチック資源循環戦略」を制定し、その重点戦略の1つとしてリデュース等の徹底を位置づけ、その取組の一環として「レジ袋有料化義務化（無料配布禁止等）」を通じて消費者のライフスタイル変革を促すこととした。

「レジ袋有料化義務化」という文言が出始めたのは、このガイドラインの冒頭部分からになります。ちなみに、ガイドラインを詳細に見ていくと、冒頭の文言以降は「義務化」という文字は出てきません。レジ袋の削減が望ましいことや有料化が出来ない場合には、例外規定のレジ袋を使用することを「推奨」することが記載され、有料化の対象外となるプラスチック製買物袋は事業者の判断で無料配布が出来るようになっています。つまり、レジ袋有料化「義務化」というのは本来誤った文言だということです。

平成十八年の段階においても、レジ袋有料化の「義務化」は、憲法第二十二条「営業の自由」に対する違憲の疑義があると認識されていました。そのため、「義務化」という文言を入れないようにレジ袋有料化に向けて動いていたのですが、なぜか「プラスチック製買物袋有料化実施ガイドライン」には「義務化」の文言が一言だけ入っていたのです。

救国シンクタンクでは、経済産業省の官僚側にガイドラインの「義務化」表現について、文言が記載された経緯のヒアリングを行い、驚くべき回答を得る結果となりました。

経産省の官僚側からの「レジ袋有料化義務化」というガイドラインでの表現についての回答は、令和元年六月のG20大阪サミット前の月に出した「プラスチック資源重点戦略」（閣議決定なし）の中で「有料化義務化」という文言を使ったが、有償で提供することによりプラスチック製買物袋の排出抑制を事業者に行って頂きたいという趣旨をわかりやすくするために「義務化」という表現にした、というものでした。

ガイドラインの冒頭に「レジ袋有料化義務化」の文言を記載したために、国民は「レジ袋有料義務化」と理解するのが自然な思考回路だと思われるのですが、経産省側との認識のずれがあるようでした。

また、今後、ガイドラインの見直しを行なうのかを問うと、ガイドラインを変えるかどうかは省庁間での持ち帰り、検討が必要だが、社会が混乱するのではないか、との回答を経産省側はしてきました。

さらに、憲法第二十二条「営業の自由」に対する憲法違反の疑義について質問を行なうと、中央環境審議会小委員会委員の早稲田大学大塚直教授より、問題ないとの見解をいただいている、と経産省側は回答しました。早稲田大学の大塚直教授の見解とは一体どのようなものであったのかというと、平成三十年十月十九日の中央環境審議会循環型社会部会プラスチック資源循環戦略小委員会での発言のことになります。

平成三十年十月十九日　中央環境審議会循環型社会部会プラスチック資源循環戦略小委員会（第三回）

○大塚直委員

レジ袋の有料化義務化に関しては、憲法上どうかという問題があることはあるので、一言申し上げておきたいと思いますが、既に60カ国以上で、使用禁止も含めて有料化の義務化とかをしているので、税のところもあるので、いろいろなところがあると思いますが、先進国も含めてやっているところが出てきていまして、基本的には問題ないということだと思いますが、経済的自由の積極的目的での規制ということになりますので、明確性は必要だと。あと、目的と手段との関係で著しく不合理でなければ可能だということだと思いますので、法的には可能だと思います。

さらに、使用禁止ではなくて、有料化の義務化ということになると、少し規制としては緩やかということになりますので、その点で、懸念が全くないわけではないですが、国民との対話は非常に重要だと思っておりますが、法的には可能だろうということをちょっと申し上げておきます。

発言を見ると「レジ袋の有料化義務化に関しては、憲法上どうかという問題があることはあるので」と、憲法違反の疑義があるという認識を大塚教授は最初に示していますが、続いての発言で「基本的には問題ないということだと思いますが、経済的自由の積極的目的での規制ということになりますので、明確性は必要だと。あと、目的と手段との関係で著しく不合理でなければ可能だということだと思いますので、法的には可能だと思います」「使用禁止ではなくて、有料化の義務化ということになると、少し規制としては緩やかということになりますので、その点で、懸念が全くないわけではないですが、国民との対話は非常に重要だと思っておりますが、法的には可能」という見解を述べています。

この大塚教授の見解に基づいて、経産省・環境省はレジ袋有料化の例外規定を設けたガイドラインを作成したということですが、経産省側としては、そのままレジ袋有料化を進めていくことに配慮をしていたのか、レジ袋有料化の実施に向けた広報をする際は、必ず例外規定についても明記していたようです。ですが、その広報を受け取ったメディアや環境省が例外規定について、そのまま広報するかどうかはメディアと環境省の責任である、というのが経産省側のスタンスでした。

その結果として、レジ袋有料化に関するメディアからの広報は独り歩きをしていき「義務化」という広報が広まっていくのですが、環境省による広報のやり方は悪意に満ちたもの（あるいは、意図的なものでないなら、極めて杜撰としかいいようのないもの）でした。

広報戦略における縦割り行政の弊害

経産省による国民に対する周知広報戦略のスタンスは、あくまでも事業者に対する広報であって、一般国民に対する広報はしないという形となっていました。もっとも、経産省による事業者に対する広報というのも日程的にかなり無理があり、十分に実施することが出来ていませんでした。

世耕経産大臣が令和二年七月一日に開催予定の東京オリンピックまでに、レジ袋有料化を実施することを明言したため、経産省は令和二年三月に事業者への説明会を予定していました。しかし、令和元年末から新型コロナウイルス感染症の世界的流行が起こり、その影響で説明会が延期となってしまいます。事業者への説明会は延期になったままだったのですが、令和二年五月二十六日に「プラスチック製買い物袋有料化」という動画をネット上に投稿し、説明会はオンライン開催という形になりました。

経産省による事業者側への説明は十分になされたとは言い切れないのですが、それ以上の問題がありました。それは、一般国民への広報戦略です。

経産省としては、一般国民への周知は環境省が行っているという認識がされていました。そこで当時の環境省による一般国民への広報を見ていくと、環境省によるテレビＣＭには「レジ袋有料化」の文言はあるのですが、例外規定については一切触れられていませんでした。

引用：環境省レジ袋チャレンジ紹介動画「7月1日から全国一律でレジ袋有料化がスタート！」
http://plastics-smart.env.go.jp/rejibukuro-challenge/video/

引用：環境省レジ袋チャレンジ紹介動画「みんなで減らそう　レジ袋チャレンジ　CM」
http://plastics-smart.env.go.jp/rejibukuro-challenge/video/

また、レジ袋有料化の実施前後に環境大臣を務めた原田義昭環境大臣や小泉進次郎環境大臣は、レジ袋有料化義務化に関する発言はしているのですが、例外規定についてはほとんど発言しておらず、環境問題に対する国民意識の変革について発言をしている状況でした。レジ袋を有料化することによって経済的にどのような効果が生まれるのか、実際に地球温暖化などの地球環境に対する効果について、具体的な説明は行われないままとなっていたのです。

環境省の広報では「レジ袋有料化」と強調されており、無料配布が可能なレジ袋が例外規定で設けられていることについて広報が不十分であるため、環境省の広報だけを見ている一般国民は、レジ袋有料化（の全業種一律義務化）が令和二年七月からスタートすると勘違いをしてしまうのも無理のない状況といえました。

これらは縦割り行政による弊害によって生じたと言えますが、レジ袋有料化の広報戦略だけではなく、ＳＤＧｓについても同様の弊害があります。

ＳＤＧｓの元々の訳は「持続可能な開発目標」となっており、最大の課題は「貧困の解消」であり、そのために「経済発展・経済開発」が必要であるとされています。発展途上国の貧困解消のための経済開発となると、えてして乱開発になる可能性があります。先進国のエゴによる乱開発を防ぐためＳＤＧｓでは、第一目標に「貧困の解消」「経済発展・経済開発」が掲げられています。ところが、日本においてはＳＤＧｓの広報を担当しているのが実質的に環境省だけですので、「環境規制」の話しかしていないのが現状です。

実際に、環境省の担当者にもＳＤＧｓの広報について尋ねたところ、担当者は「ＳＤＧｓの目的が、貧困の解消と経済発展をしていくことは当たり前で、周知の事実だと思っていた。環境省は環境行政にしか権限がないので、それ以外のことはやらない」と平然と言い放ちました。あたかも、何が悪いのかと言わんばかりに。ＳＤＧｓの広報に対する環境省の発想がこのようなため、レジ袋有料化の例外規定の広報を十分に実施していないとも考えられます。

環境省による一般国民への広報不足の結果、すべての事業者がすべてのレジ袋を有料化するのが義務である、というイメージが徐々に出来上がってしまいました。一部の事業者はレジ袋省令が実施された後も、例外規定に基づいたレジ袋を無料配布していましたが、事業者の中には無料配布可能なレジ袋を使用しているにもかかわらず「レジ袋有料化が義務化されたので、有料で配布します」というロジックで、レジ袋の有料販売をし始めました。もちろん、事業者の判断でレジ袋を有料化する自由はありますので、無料配布出来るレジ袋であっても環境対策のために有料販売をする、という価値観もあるでしょう。ですが、義務化に関する議論が飛躍して「レジ袋有料化義務化に伴って、レジ袋有料化をしました」という状況なのは、一種の便乗値上げとも考えられてしまいます。

したがって、環境省による広報によって、レジ袋省令の例外規定の周知が不足して、一般国民に誤った情報が流れ、不適切な理解が広まっているのならば、経産省側も情報を正す必要があると思われます。

レジ袋省令により死活的な影響を受ける国内レジ袋産業

大手スーパーマーケットやコンビニエンスストアで販売されているレジ袋の大半は輸入品であり、レジ袋有料化の実施後、レジ袋は最も利益率の高い商品の一つになっています。もともと国内のレジ袋製造業者は厳しい競争関係に晒されている状況であったため、レジ袋製造業者側は経産省に対して、輸入レジ袋に関税をかけることは出来ないか質問をしていました。ですが、経産省からは「自由貿易の建前から関税を設けることは出来ない」との回答がなされています。経産省はレジ袋製造業者が新しい技術の導入や開発の助成はするという、規制を強化して助成をバラ撒くスタンスを示しています。

そして、レジ袋省令実施後に「レジ袋有料化義務化」という誤解が広く浸透したことにより、一部のレジ袋製造業者の事業継続が困難になっているほか、消費者の買い控えによる経済全体への悪影響、中小事業者の有料化したレジ袋の管理費・事務負担の大幅な増加、セルフサービスでマイバックに商品を入れる頻度が増えて万引き被害が増加するなど、さまざまな負の結果が生じています。

例えば、東証二部上場の大手レジ袋製造業者のスーパーバッグは令和四（二〇二二）年一月十一日に希望退職者を募集すると発表しました。スーパーバッグは希望退職者の募集理由を「レジ袋有料義務化や新型コロナウイルス感染拡大による影響により、厳しい経営環境が続いて」いることであるとしています。

レジ袋有料化実施前の令和二年三月期決算で売上高三百十八億九千五百万円、当期純利益三億五千百万円を確保していましたが、有料化実施後の令和三年三月期は売上高二百六十二億五千三百万円（前期比十七・七％減）、当期純利益は三億三千八百万円の赤字に転落していています。その後も令和四年三月期の売上高二百五十一億三千四百万円、当期純利益の赤字は六億四千二百万円に拡大しました。

もちろん、レジ袋省令の開始と新型コロナウイルス感染症の流行が始まったタイミングが被っているため、レジ袋省令による負の影響をすべて証明することは難しいのも事実です。しかし、現実に大きな損害を被っている業界があることも事実です。

そもそもレジ袋省令に効果はあったのか?…まともな検証すらもされない

レジ袋省令と「プラスチック製買物袋有料化実施ガイドライン」については、省令であることを理由に政策効果の十分な検証が行われておらず、是正措置が講じられないままとなっています。

行政機関が行う政策の評価に関する法律施行令の第三条六で、事前評価の対象となる規制が「法律」と「政令」の二つに限定されているためです。事実上の規制の細目を決定する可能性が高い「省令」「告示」「議員立法」による規制は対象範囲外としているため、レジ袋省令の政策の効果検証はされていません。本来、政策検証をして政策の微修正をするべきなのですが講じられない原因となっています。

レジ袋有料化の政策目的というのは、令和元年五月三十一日に政府が公表した「プラスチック資源循環戦略」に記載されています。

「プラスチック資源循環戦略」（令和元年五月三十一日　消費者庁・外務省・財務省・文部科学省・厚生労働省・農林水産省・経済産業省・国土交通省・環境省）

①リデュース等の徹底

○ワンウェイの容器包装・製品のリデュース等、経済的・技術的に回避可能なプラスチックの使用を削減するため、以下のとおり取り組みます。

ワンウェイのプラスチック製容器包装・製品については、不必要に使用・廃棄されることのないよう、消費者に対する声かけの励行等はもとより、レジ袋の有料化義務化（無料配布禁止等）をはじめ、無償頒布を止め「価値づけ」をすること等を通じて、消費者のライフスタイル変革を促します。

つまり、レジ袋有料化は「消費者のライフスタイル変革を促す」というのが所期の目的でした。政府の目的からして曖昧な感じがありますが、このガイドラインの目的が正式なものであると小泉進次郎環境大臣もテレビに出演した際に答えています。

令和二年七月二十九日にBSフジのプライムニュースに出演した小泉環境大臣は、視聴者からの「レジ袋有料化によって不便極まりない」という質問に対して、「不便極まりないのは申し訳ない。レジ袋を全部無くしたところでプラスチックゴミの問題は解決しない。レジ袋を無くすことが目的ではない。有料化をきっかけに問題意識を持って一人一人が始められる行動につなげてもらいたい」と回答しています。

環境大臣自らが、レジ袋有料化はプラスチックゴミの問題の解決に寄与せず、目的でもないと明言しているのです。つまり、この政策には地球環境の改善効果が何も無いということです。

また、総務省の環境省環境再生・資源循環局総務課リサイクル推進室には、レジ袋有料化について「日本から毎年排出される廃プラスチックのうちレジ袋が占める割合は2％程度と言われており、プラスチックごみ全体の量から見ればごく僅かである」とホームページに記載しており、ことさらレジ袋を集中的にやり玉に上げた意味が不明ともいえます。

レジ袋省令の目的は曖昧なものであると思われますが、レジ袋省令実施後のレジ袋関連の影響について見ていくと、さまざまな結果が出ています。

環境省は令和二年十二月九日に「令和2年11月レジ袋使用状況に関するWEB調査」を公表しました。これは、「二〇二〇年三月時点で、レジ袋を一週間使わなかった人が約三割だったのを、十二月で六割にすること」を目標として活動した結果を調査したものになります。環境省がレジ袋有料化を広報する取組みとしていた「みんなで減らそう　レジ袋チャレンジ」キャンペーンの一環でもありました。

十〜七十代男女、二千百人を対象に行った「あなたは、最近1週間以内に買物をした店舗でレジ袋をもらいましたか。（有料で使い捨てのレジ袋を購入した場合も含む）」という

レジ袋有料化（2020年7月開始）の効果

1週間レジ袋を使用しなかった人の割合

有料化前（2020年3月）	有料化後（2020年11月）
30.4%	**71.9%**

出典）環境省アンケート調査

レジ袋の辞退率

	有料化前	有料化後
コンビニエンスストア	約23%	約**75**%
スーパーマーケット	約57%	約**80**%

レジ袋の使用枚数

	有料化前	有料化後	削減効果
ドラッグストア	約33億枚	約5億枚	約**84**%減少

出典）業界団体へのヒアリング

レジ袋の国内流通量

有料化前（2019年）	有料化後（2021年）
約20万t	約**10万**t

出典）日本経済綜合研究センター『包装資材シェア事典 2021年版』（2022年1月）

引用：レジ袋有料化(2020 年 7 月開始) の効果 - 環境省
https://www.env.go.jp/content/000050376.pdf

意識調査の結果は、七十一・九%がもらっていないと回答をしました。

また、環境省が公表している「レジ袋有料化（２０２１年７月開始）の効果」では、日本経済綜合研究センター『包装資材シェア事典２０２１年版』を引用しており、レジ袋の国内流通量はレジ袋有料化前の令和元年で約二十万トン、有料化後の令和三年は約十万トンと半減しているとしています。

これらの環境省の資料を見る限り、消費者の環境に対する意識の変化や、レジ袋の使用は大幅に減少しており、「消費者のライフスタイル変革を促す」という所期の目的は達せられたと思われます。しかし、レジ袋の使用がどの程度減少したら目標が達成されたとするのかという基準も曖昧であるため、政策は継続されたままになっています。

政策検証も行われないまま更なる規制強化が進む

レジ袋省令の実施後の政策検証もしっかりとなされていない状況下で、令和三年六月十一日「プラスチックに係る資源循環の促進等に関する法律」（プラスチック新法）が公布されます。この政策では、特定プラスチック使用製品の対象となる十二品目、使い捨てプラスチック製のスプーンやストローなどを廃棄物として処理する際に、排出抑制の取組み（プラスチック製の製品を紙製品に変更など）、消費者への情報提供などが事業者に求められるようになりました。

プラスチック新法には「主務大臣は、必要があると認める時は、全ての特定プラスチック使用製品提供事業者に必要な指導及び助言を行い、特定プラスチック使用製品多量提供事業者に対しては、取組が著しく不十分な場合に勧告・公表・命令等を行うことがあります」という罰則規定が定められています。しかし、罰則の対象は、前年度において提供した特定プラスチック使用製品の量が五トン以上の事業者を特定プラスチック使用製品多量提供事業者に定めていますので、すべての事業者が罰則対象に入っているわけではありません。そのため、コンビニエンスストアや大手スーパーマーケット以外の中小企業、個人商店や町中のクリーニング屋などプラスチック製品の排出量が少ない事業者は対象外です。

また、プラスチック新法では、特定プラスチック使用製品十二品目の廃棄物排出抑制の方法の一例として、「消費者にその提供する特定プラスチック使用製品を有償で提供すること」を提示しています。他にも「薄肉化又は軽量化その他の特定プラスチック使用製品の設計又はその部品若しくは原材料の種類（再生可能資源、再生プラスチック等）について工夫された特定プラスチック使用製品を提供すること」など、いくつかの方法が環境省のホームページに掲載されていました。つまり、プラスチック新法が制定されても、プラスチック製スプーンやストローなどの対象製品を有料化する義務化は無いということです。

それにもかかわらず、プラスチック新法が令和四年四月一日から施行されるにあたって、各種プラスチック製品について「有料化義務化」が一律導入されるとの誤解がメディアやインターネット上に拡散し始めます。一般の報道では例外規定等がほとんど周知されていないまま情報が広まり、例外規定に当てはまる事業者が有料でプラスチック製品を販売する事態が起こり得ることが考えられました。そのような状況で、レジ袋省令によるレジ袋有料化に関する政策効果の検証も不十分な状況でしたので、プラスチック製品関係の規制に対する国民の不満はかつてないほど高まっていきました。

レジ袋省令における広報の問題点が国会で問われ始める

政官界では次第に「レジ袋有料化義務化と広報したことは問題ではないか」という空気が広がり始めます。国会においては、ＮＨＫ党の浜田聡参議院議員が前述の事態を問題であるとして「レジ袋有料化義務化」やプラスチック新法に関する質問主意書をいくつも提出します。

令和三年一月から六月に開かれた第二〇四回国会では「プラスチック製買物袋有料化に関する質問主意書」「プラスチック製買物袋有料化義務付けが法改正でなく省令改正でな

されたことに関する質問主意書」など八個、同年十二月開催の第二〇七回国会では「プラスチックに係る資源循環の促進等に関する法律の施行に伴う各市区町村の廃棄物処理費用に関する質問主意書」「プラスチックに係る資源循環の促進等に関する法律施行令案の事前評価書に記載の「規制を実施しない場合の将来予測（ベースライン）」に関する質問主意書」など十一個の質問主意書を提出しています。

令和三年四月一日、プラスチック新法による使い捨てプラスチック製品の有料化見送りへ

そして、いよいよプラスチック新法の施行日である令和三年四月一日が迫ってきました。プラスチック新法は、使い捨てプラスチック製品に対する有料化「義務化」を課す規制ではないにもかかわらず、レジ袋省令と同様に「有料化義務化」がなされるという誤解が国民の間に広まっていました。

しかし、プラスチック新法によって、使い捨てのプラスチック製品の削減を企業などに求め、無料で提供しているスプーンやフォークも有料化される予定でしたが、大手コンビ

ニ各社は有料化を見送ることになります。例えばセブンイレブンでは、四月一日より植物由来（バイオマス）素材を三十％配合したスプーンとフォークが導入され、ローソンやファミリーマートなどの他の大手コンビニもプラスチックを軽減した穴あきスプーンやフォークの導入、または木製スプーンに変更するなどの対応をとるようになりました。

令和四年四月六日、国会質疑で「レジ袋有料化義務化」の誤りが認められる

政官界でレジ袋省令における「レジ袋有料化義務化」の広報の問題について注目が集まり始め、プラスチック新法による使い捨てプラスチック十二品目の有料化の見送りが行われるなど、救国シンクタンクでの本研究調査が進むにつれて世論に大きな影響が出てきました。そして、さらに調査を進めていた令和四年四月八日、「レジ袋有料化義務化」が、じつは「法律で定められた義務」ではなかったということが、第二〇八回国会衆議院経済産業委員会の質疑で明らかになりました。

第二〇八回国会衆議院経済産業委員会にて、日本維新の会の漆間譲司衆議院議員が質問

を行い、経済産業省産業技術環境局長の奈須野太氏が政府参考人として、そして、自由民主党の大岡敏孝環境副大臣も答弁をしています。

（第208回国会　経済産業委員会　第8号　令和4年4月8日（金曜日））

○漆間譲司衆議院議員
最終的に、制度実施のための省令本体には義務化という言葉が記載されていない理由をお伺いいたしたいと思います。審議会などで指摘された営業の自由に対する懸念があったからなのでしょうか。お伺いいたします

○奈須野太政府参考人
お答え申し上げます。
これは法令上の整理の問題でございまして、容器包装リサイクル法に基づく小売事業者の判断基準省令におきまして、事業者は、商品の販売に際して、消費者にその用いるプラスチック製の買物袋を有償で提供することにより、消費者によるプラスチック製の買物袋の排出の抑制を相当程度促進するものとするというふうに定めておりま

す。

主務大臣は、この判断基準省令に照らして、必要と認めるときは指導助言、さらに、取組が著しく不十分であると認めるときは容器包装多量利用事業者に対して勧告、公表、命令、そして、その命令に違反した場合には罰金を科すというような措置を講じることとしております。

こういうことで、直接処罰が下るというわけではなくて、命令に違反した場合に処罰が下るということで、義務化という表現にはなっていないということでございます。

○漆間譲司衆議院議員

改めて、たくさんの経過を含めて罰が下るということなんですけれども、それというのは、義務か義務でないかというと、どういう認識なんでしょうか。改めてお伺いいたします。

○奈須野太政府参考人

法令的な意味での規定ということから申し上げると、容器包装リサイクル法の四十六条の二におきまして、第七条の七の第三項、これは先ほど申し上げた措置命令でございますけれども、命令に違反した者は五十万円以下の罰金に処するというふうになっておりまして、こういう意味で、法令上は、命令に従うことが義務ということでございます。

そうした中で、このようなことで、単純に言えば、実質的には義務化ということでございますけれども、法令上は、命令に従うことが義務だというようなことでございます。

○漆間譲司衆議院議員

それでは、もう一つ、制度実施後、生分解性やバイオマスのレジ袋は有料化する必要がないのに有料化している事業者が大手コンビニ中心に大多数となっている今の現状について、これは当初想定していたことなのかどうか、お伺いいたします。

○大岡敏孝環境副大臣

漆間先生にお答えいたします。

先ほど来の答弁も少し補足しながら先生にお答えをさせていただきたいと思いますが、御指摘のとおり、今回のルールでは、一部のレジ袋に関しては有料化をお願いをしておりますけれども、そうではないものがあります。分厚くて再利用できるとか、紙でできているとか、海に捨ててもそのまきれいに分解されるとか、そういったものは有料化の対象とはしていないということでございます。そこは先生御指摘のとおりでございます。

したがいまして、生分解性プラスチックなどを使っていただけるのであれば、それは企業の環境に対する姿勢として是非お願いをしたいと私どもからも思っているところでございます。あくまで、それができない場合の選択肢、つまり、環境に優しいプラスチック以外のものを使う場合には有料化をお願いしている、しかも、薄いもので再利用できないものを使う場合には有料化をお願いしているということでございます。

これを、全ての、そうではないものまで有料化しているのは正しいのかという御下問かと思いますけれども、そこは事業者の判断として、一定の額で仕入れておられるものでございますので、それを幾らで売るかというのは事業者の御判断でお願いしております。無料にできるものでも、仕入れがある以上は有料で売っていただいても結構ですし、例えば、うちのビニール袋は百円の値打ちがあると思えば百円で売ってもらってもいいし、ブランドの袋なので千円の値打ちがあると思えば千円で売っていただいても結構でございまして、そこは事業者の判断でお願いをしているところでございます。

こうした取組を進めることによって、私ども環境省としましては、環境負荷の低い産業をしっかりと育成をしていきたいと思いますし、また、関係省庁とも連携しながら、事業者や消費者の賢い購買にしっかりとつなげていきたいと考えております。

○漆間譲司衆議院議員

これは、事業者と、あともう一つ大切な主体として消費者というものがあると思うんですけれども、事業者には環境に配慮した袋は義務化しないでいいよということであるんですけれども、消費者は恐らくそのことを知らずに、有料化義務化でないことを知らずに、マスコミの中で有料化義務化という言葉だけが躍っているものですから、それをもって、知らない中で、これもお金を払わなきゃ駄目なんだな、環境に配慮した袋なのに、お金を払わなければならないんだなと思って、皆さんレジ袋代を払っていると思うんですけれども、これというのは消費者をだましていることにならないんですかね。

ちょっとそこについてコメントをお願いいたします。

○大岡敏孝環境副大臣

漆間先生の御指摘は、恐らく多くの有権者の方、国民の方から御意見が集まっておられるんだと思います。

確かに、私どもの言い方が十分でなかった面があるかもしれません。全てのレジ袋の有料化が義務化されたというふうに聞こえてしまったのかもしれません。ただ、本当のルールは、先ほど漆間先生が御披露いただいたとおりでございまして、有料化しなければならないものと有料化しなくてもいいものがあります。

ただし、できれば、そうした部分も消費者の賢い購買行動につなげていっていただきたいというのが私どもの本当の願いでございますので、先生御指摘のとおり、それが十分国民に伝わっていないということでありますので、そこはこれから、私たちもしっかりと正しく説明するように心がけてまいります。

○漆間譲司衆議院議員
改めての周知徹底をよろしくお願いいたします。

もう一つ、追加でお伺いなんですけれども、今月から、プラスチック資源循環法施行で、スプーンなどの合理化の措置が始まっておりますけれども、これにより、もし削減効果がなければ、レジ袋同様、有料化義務化することになってしまうんでしょうか。あともう一つ、削減効果があったとするのであれば、レジ袋有料化義務化を撤回して、レジ袋使用合理化、スプーンのようにですね、変えることもあるんでしょうか。併せてお伺いいたします。

○大岡敏孝環境副大臣
お答えいたします。

この四月にプラスチック資源循環法を施行したところでございまして、まずは、今の、現行のルールで、法に基づく措置をしっかりと普及してまいりたいと思います。

漆間先生から御指摘のとおり、国民に正しく伝わっていないという面があるかと思いますので、そこは正しく伝えてまいりたいと思います。

御指摘の、スプーン等を含めた特定プラスチック使用製品の合理化の措置に対する削減効果については、各関係主体の取組状況を可能な限り定量的に検証してまいります。

将来的には、削減効果がどうだったか、それを受けて、どのように変えていったらいいかということは、まさに、先生方の御議論も含めて、また国民の声もしっかりと受け止めることによって、また定量的に正しく検証していくことによって、あらゆる選択肢を、先生御指摘のようないろいろな選択肢が今後考えられると思いますので、あらゆる目的に真っすぐ行くのはどういう選択肢なのかということを、あらゆる選択肢を検討してまいりたいと考えております。

この国会答弁から分かることは、法令では義務化されていないが、レジ袋省令に定められている命令に違反したことに従うことは実質的に義務であると、環境省の官僚が認識していることです。

「命令に違反した者は五十万円以下の罰金に処するというふうになっておりまして、こういう意味で、法令上は、命令に従うことが義務ということでございます。そうした中で、このようなことで、単純に言えば、実質的には義務化ということでございますけれども、法令上は、命令に従うことが義務だというようなことでございます」という奈須野太政府参考人の答弁は、法令で定められていなくとも官僚の匙加減で義務か否かを定められることを正直に述べていますが、「実質的には義務化」ということで、法令上はレジ袋有料化の義務はないと答えています。

そして、大岡敏孝環境副大臣は、「確かに、私どもの言い方が十分でなかった面があるかもしれません。全てのレジ袋の有料化が義務化されたというふうに聞こえてしまったのかもしれません。ただ、本当のルールは、先ほど漆間先生が御披露いただいたとおりでございまして、有料化しなければならないものと有料化しなくてもいいものがあります」と、レジ袋省令実施における環境省による広報不足を認め、「レジ袋有料化義務化」が誤った広報であったこと、例外規定に基づいた無料配布可能なレジ袋の存在も認める答弁を行いました。

広報不足に関しても大岡環境副大臣は、「これから、私たちもしっかりと正しく説明するように心がけてまいります」と政府側の誤りを率直に認めて、適切な広報をしていくと明言しました。

救国シンクタンクでレジ袋省令の政策決定プロセスの調査研究活動を進め、徐々に世論と政官界でレジ袋省令の問題に注目が高まり、国会答弁にて大岡環境副大臣が環境省の広報に誤りがあったと認める答弁をしました。

その後、救国シンクタンクでは第四回シンポジウム「ウクライナとレジ袋」を令和四年五月七日に開催し、シンポジウムに合わせて漆間衆議院議員、大岡環境副大臣にレジ袋省令に関するビデオメッセージをお送りいただきました。

当日のシンポジウムには、ＮＨＫ党の浜田聡参議院議員にも挨拶をいただくなど、救国シンクタンクの活動が実際に政官界に影響を与えて、政治を動かしていることを世論に公

第４回シンポジウム「ウクライナとレジ袋」ポスター

引用：第４回シンポジウム「ウクライナとレジ袋フォーラム」
自由民主党 大岡敏孝環境副大臣によるビデオメッセージ

引用：第４回シンポジウム「ウクライナとレジ袋フォーラム」
日本維新の会 漆間譲司衆議院議員によるビデオメッセージ

【救国シンクタンク】第４回シンポジウム「ウクライナとレジ袋フォーラム」ダイジェスト版　内藤陽介　江崎道朗　渡瀬裕哉　中川コージ　倉山満【チャンネルくらら】―2022/05/17―
https://www.youtube.com/watch?v=OQxWpcD4vJ0&t=49s

表することが出来ました。
シンポジウムのダイジェスト版動画はチャンネルくららというYouTubeチャンネルで、ご視聴いただけます。

救国シンクタンクの研究が明らかにした事実…有料化「義務化」ではなかった!

ここまで、救国シンクタンクの研究調査「アクティビストのための調査手法モデル化」で明らかにした、令和三年七月一日にレジ袋省令が実施されることになった政策決定プロセスの一連の流れを解説してきました。

レジ袋省令の一連の流れを振り返ると、レジ袋省令の根拠法となる法令「容器包装リサイクル法」の制定後、憲法第二十二条「営業の自由」に抵触する憲法違反の疑義があり、レジ袋有料化の法制化が困難であるという認識が、レジ袋有料化の賛成派・反対派のどちらの政治家にも共通で持たれており、環境省もその認識であるとされてきました。

しかし、令和元年六月十五日、「G20持続可能な成長のためのエネルギー転換と地球環境に関する関係閣僚会合」に出席した世耕経産大臣が、令和二年七月開催予定の東京オリンピックまでに間に合うように、令和二年四月一日を目標にレジ袋有料化の実施を目指すと表明してしまい、環境省をはじめ役所側は急遽レジ袋有料化の法制化に取り組み始めることになります。

憲法違反の疑義が解決しないままレジ袋有料化に向けた法制化に動く中で、様々な例外規定を設けた省令という形で「レジ袋有料化」を可能にしました。しかし、令和元年十二月に制定された「プラスチック製買物袋有料化実施ガイドライン」の冒頭部分に「レジ袋有料化義務化（無料配布禁止等）」という一文が入っていたために、レジ袋省令の施行により「レジ袋有料化義務化」が実施されるという誤解が生まれていくことになります。

レジ袋省令の実施までに経産省、環境省による広報が行われていきますが、無料配布可能なレジ袋を定めた例外規定を十分に周知することを怠ったため、国民の間では「レジ袋有料化義務化」が実施されるという誤った認識が広まることになります。また、事業者側にも十分な説明がなされないまま、令和二年七月一日にレジ袋省令は実施され、レジ袋の有料化が全国で始まり、多くの消費者が経済的な負担を強いられていきます。

例外規定の広報が不十分であったため、無料配布が可能なレジ袋を有料で売るような便乗値上げの横行を生み出し、政策目的であった国民の環境意識の向上とは何も関係がない事態も発生しました。最悪のケースとしてはレジ袋製造事業者が廃業間際に追い込まれたことが挙げられ、大手レジ袋製造業者のスーパーバッグの事例を紹介しました。

レジ袋省令の実施から十一カ月後、令和三年六月、救国シンクタンクは「アクティビストのための調査手法モデル化」という、レジ袋省令を調査対象とした研究を開始しました。一年以上に渡る研究調査の結果として、政官界においてもレジ袋省令の問題に注目が集まるようになり、ついには国会答弁にて環境副大臣から「レジ袋有料化義務化」は誤った広報であったことを認める答弁を行なうところまできました。

レジ袋省令という、たった一つの省令に関する政策の誤りを明らかにするために一年以上の期間を有することになりましたが、国民の自由、財産権を侵害する「無用な」規制を減らすために、民間シンクタンクによる丁寧かつ粘り強い研究が極めて有効であることを証明する一例とすることが出来ました。

レジ袋省令の制定に関係する「環境問題」に限らず、もっともらしい大義名分を政府が掲げたときに国民が疑うことなく信じてしまい、喜んで自由（身体的自由だけではなく経済的自由など）を差し出してしまう危うさを、多くの国民が認識することは非常に重要なことであると考えます。

政策や規制の是非に関して議論をしても賛成派と反対派の哲学論争のようになり水掛け論にしかなりません。だからこそ、政策や規制が形成されるプロセス、手続き論に関して議論をすることが重要であり、手続きや運用の問題を攻める理論武装が必要です。それが、有権者が政治家に対する責任を取らせて有権者が政治家を変えることが出来る手段になり、規制改革につなげていくことが出来るのです。

本書の第三章では、本研究調査を事例に「おかしな規制がどのように形成されたのか」を誰でも調査出来るマニュアル形式で解説していきます。政府の規制に関する問題を追及するアクティビストが日本に増えていくことが、自由を守ることにつながります。そのためのマニュアル本としてお役に立てれば幸いです。

※今回の本研究で明らかにしたレジ袋省令の政策決定プロセスは本書にまとめましたが、研究に関する報告動画を「チャンネルくらら」というYouTubeチャンネルで随時配信してきました。各報告動画はＱＲコードからご視聴いただけますので、宜しければご覧ください。

レジ袋有料化は70年代の成功体験から？！～内藤陽介先生委託研究「アクティビティストのための調査手法モデル化」中間報告　渡瀬裕哉　中川コージ　倉山満【救国シンクタンク】―2021/09/16―
https://www.youtube.com/watch?v=SvV5uoUStEs

レジ袋有料化廃止の可能性は！？アクティビストのための調査手法モデル化研究中間報告　内藤陽介　渡瀬裕哉　中川コージ　倉山満【救国シンクタンク】―2021/11/14―
https://www.youtube.com/watch?v=ETaVbR8o2Lk

菅前総理インタビュー・レジ袋有料化は義務ではない？！　渡瀬裕哉　内藤陽介　倉山満　江崎道朗　中川コージ【救国シンクタンク】―2022/02/02―
https://www.youtube.com/watch?v=rr1-6PSFbUo

大発見！レジ袋有料化義務化研究ここまで来た！～実践『誰が殺した日本国憲法』　弁護士横山賢司　内藤陽介　倉山満【チャンネルくらら】―2022/02/09―
https://www.youtube.com/watch?v=Xwg6u7OekZs

日本政府ついに認める！レジ袋有料化は義務ではなかった！　郵便学者内藤陽介　憲法学者倉山満【チャンネルくらら】―2022/04/10―
https://www.youtube.com/watch?v=CwSDYQvtpbA

第三章　アクティビストのための調査手法

5つの過程で立法プロセスをチェック

第二章では「小売業に属する事業を行う者の容器包装の使用の合理化による容器包装廃棄物の排出の抑制の促進に関する判断の基準となるべき事項を定める省令の一部を改正する省令」（レジ袋省令）を事例として取り上げて、おかしな規制が出来上がる立法プロセスを詳細に研究した「アクティビストのための調査手法モデル化」の内容を紹介しました。

第二章をお読みいただければ分かる通り、一つの規制が出来上がるまでの立法プロセスを明らかにするだけでも、大変な時間と労力が必要となります。研究テーマに取り上げたレジ袋省令に限らず、日本に存在する一万五千件以上の規制はすべて同じような立法プロセスを経て作り上げられています。

本書をお読みになられた方は、ご自身の仕事をしているときに「これ、おかしいな？」と疑問を持った規制は、すべて同じような立法プロセスを経て作られているので、「規制が作られるプロセスの調査手法」さえ分かれば、行政の専門家でなくとも、誰でもおかしな規制の立法プロセスを調査することが出来るようになります。

国民の誰もが、おかしな規制を調査して、その規制のおかしな点やツッコミどころを見つけることが出来るマニュアル本を救国シンクタンクとして作成し、形にしたのが本書になります。

政治に興味・関心を持った有権者が「この規制を調べてみよう」と思い立ったときに、規制の立法プロセスを調査して、おかしな規制を正していくことが出来れば、世の中を良くしていくことにつながります。規制が作られる立法プロセスを調査する手法については、第三章で解説していきます。

規制が作り上げられる立法プロセスを調査する手法は、救国シンクタンクの渡瀬裕哉研究員が取りまとめ、令和四（二〇二二）年五月四日に開催した第四回救国シンクタンクフォーラム「ウクライナとレジ袋」にて「立法プロセスチェック項目」という一枚の資料として発表しました。

「立法プロセスチェック項目」は、規制が出来上がるまでの過程を「起・承・転・結・後」という五つのプロセスに整理した形で表しています。一つ一つのプロセスの詳細につ

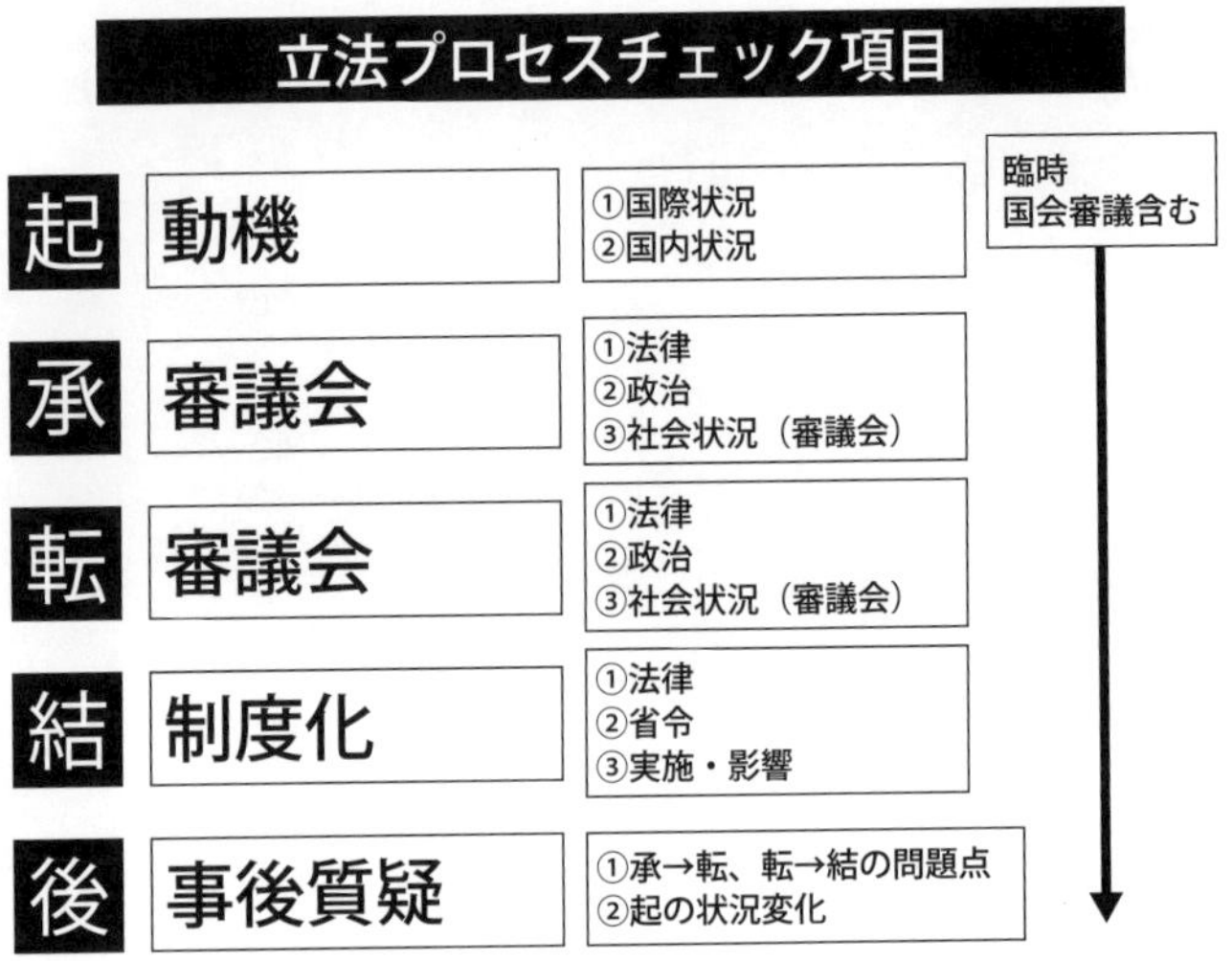

「立法プロセスチェック項目」

いては後述しますが、簡単に五つのプロセスチェック項目を解説すると、一番目の「起」というのは「なぜ、この規制を作ろうと思ったのか」という「動機」にあたります。おかしな規制が作られていく最初のスタートラインであり、規制が作られる理由はそもそも何だったのか、この最初の「動機」の部分から問題が見つかることがあります。この「動機」の部分では、規制を作ろうと動き出した当時の状況を「国内状況」だけではなく、「国際状況」も合わせて調査していきます。

立法プロセスチェック項目の二番目と三番目の「承・転」の部分は、両方とも

「審議会」「国会」にあたります。審議会というのは、国あるいは地方公共団体などの各行政機関に附属して置かれる合議制の機関のことを言います。審議会は「調査会」または「審査会」などの名称となっている場合があります。

「審議会」では、新たに設ける規制に関して関係省庁や政治家、専門家などが集まり議論を重ねていきます。最初の方に開かれる審議会では、出席者の間で意見がもめたりします。レジ袋省令に関係する「承」の時点にあたる容器包装リサイクル法の審議会では、関係省庁と野党の政治家との間で意見が合わないなどの状況が見受けられます。

レジ袋有料化の法制化が憲法違反の疑義があるために困難であると「承」の段階の審議会では認識されていました。その認識も「転」にあたる審議会が開かれるころには、レジ袋有料化に向けた法制化に政治は動き始めていました。

「審議会」は「承・転」の二つありますが、「承」の段階で議論されていたものが、変化をした後の「審議会」が「転」に当てはまります。議論の変化を捉えるためには審議会だけではなく、政治や社会状況の変化も調べる必要があります。

以上の「起～転」までは、国会でも与野党からの質疑が行われることで、その内容が明らかになるケースもあります。

四番目の「結」は、審議会を経て法律あるいは省令として「制度化」した規制の状況を指します。レジ袋省令の場合は法律ではなく省令という形の規制になりましたが「制度化」されたレジ袋省令の実施前後に発生したさまざまな問題を「結」の項目でまとめています。

五番目の「後」は「事後質疑」のことです。立法プロセスチェック項目の〈「承」審議会〉から〈「転」審議会〉に至るまでの間に起きた議論の変化や、〈「転」審議会〉から〈「結」制度化〉へと時間が経過した後に発生した問題点をまとめています。

レジ袋省令の現状は、規制としてすでに制度化し、実施された後ですので「事後質疑」の状態にあたるのですが、「起〜結」までの立法プロセスを明らかにすることで、「なぜ、この規制を作ろうと思ったのか」という「起」の状態から、現在の「後」の状態（社会状況・国際状況・政治状況）などの変化を明らかにして、レジ袋省令という規制を実施する前提条件が大きく変化している問題を検証していきます。

レジ袋省令が作られる前提にあった理由は、現状も同じような状況にあるのかというと実際には大きく変化しており、「そもそもレジ袋省令を作る必要がなかったのではないか」

とも言える状況になってきていることが、立法プロセスチェック項目〈「後」事後質疑〉で判明します。

ここまで簡単にですが、立法プロセスチェック項目「起・承・転・結・後」のそれぞれの意味について解説しました。一つの規制が出来上がるまでのプロセスを「起・承・転・結・後」に沿って見ていくことで、規制自体の問題点だけではなく、規制の立法プロセスにおける問題点が理解しやすくなります。

この立法プロセスの問題点をしっかりと理解して押さえていくことが、おかしな規制を改廃するときの議論において武器になってくるのです。

第三章では、郵便学者の内藤陽介氏に研究調査をしていただいた「アクティビストのための調査手法モデル化」の研究内容（第二章で詳細を紹介）を参考にしつつ、レジ袋省令が出来上がるまでに関係する社会状況、国内・国際状況、政治状況など、一つの規制が出来上がるまでの立法プロセスを「立法プロセスチェック項目」に当てはめながら解説していきます。

それでは、「立法プロセスチェック項目」の「起・承・転・結・後」の項目を一つずつ解説していきます。項目ごとに「どのような情報を収集する必要があるのか」をお伝えします。

①「起」…動機「なぜ、この規制を作ることになったのか」

規制が作られるまでの立法プロセスを「起・承・転・結・後」の五つの流れで見ていくのですが、まず最初に「なぜ、この規制を作ろうと思ったのか」という規制が作られる背景を明らかにしていきます。立法プロセスチェック項目〈「起」動機〉の部分について、レジ袋省令の研究内容を参考に解説していきます。

レジ袋省令は令和二年七月一日より施行されましたが、省令として形になるまでにはいくつもの歴史的背景がありました。救国シンクタンクの研究で明らかになったことは、レジ袋省令が制定される前に、リサイクル関係の法律全般がレジ袋省令に関係しているということでした。それらの背景を明らかにしていくことで、「レジ袋省令は、なぜ作られる

起　動機

①国際状況
②国内状況

「立法プロセスチェック項目」〈起〉

ことになったのか？」という規制が作られる「動機」の部分が見えてきます。

省令は官僚が国民に対して出してくる命令のようなものであり、省令を出すためには根拠となる法律（根拠法）が必要になります。レジ袋省令の根拠法は第二章でも解説をした、「容器包装に係る分別収集及び再商品化の促進等に関する法律」（容器包装リサイクル法）です。容器包装リサイクル法を改正した政令がレジ袋省令になりました。

容器包装リサイクル法が制定されたのは平成七年六月です。この法律が制定された歴史的背景を調べていくと、一九八〇年～九〇年代が容器包装リサイクル法の制定に関係しているようでしたので、立法プロセスチェック項目〈「起」動機〉では、当時の国際状況と国内状況の両方を二つに分けて見ていきます。

【起】「動機」…①国際状況

「立法プロセスチェック項目」の〈【起】「動機」…①国際状況〉から見ていきます。本書の第二章〈レジ袋規制の大元は「SDGs」?〉にて、レジ袋省令の根拠法である容器包装リサイクル法の制定に至る流れは、平成五(一九九三)年十一月に制定された環境基本法からつながっていると解説しました。

この環境基本法が制定される背景には、当時の国際状況が大きく関係してきます。詳細は第二章を確認していただければと思いますので、ここでは簡単に国際状況を書いていきます。

平成四(一九九二)年六月、ブラジルのリオデジャネイロ市で開催された「環境と開発に関する国際連合会議」(通称:地球サミット)で「21世紀に向けた持続可能な開発を実現するために各国および関係国際機関が実行すべき行動計画」が採択されます。「アジェンダ21」と呼ばれるこの計画には、条約のような拘束力はないのですが、さまざまな地球環境問題に対して、持続可能な社会を実現するために世界各国および関係国際機関がなすべき行動計画とされました。この「アジェンダ21」の採択を受けて世界各地の自治体では、「ローカルアジェンダ21」が策定されて推進されていきました。

第二章〈「ＳＤＧｓ」につながる「ＳＤ」の理念は日本が生み出した〉で解説しましたが、当時の国際状況における注目点は、現代の左派の人たちが大好きなＳＤＧｓ（持続可能な開発目標）の概念の元となったＳＤ「持続可能な開発（Sustainable Development）」という理念が、日本発信という形で世界に打ち出されていたことです。

昭和五十五（一九八〇）年、国際自然保護連合（ＩＵＣＮ）、国連環境計画（ＵＮＥＰ）などが取りまとめた「世界保全戦略」にＳＤの概念が登場します。昭和五十八（一九八三）年、日本の提案から「環境と開発に関する世界委員会（ＷＣＥＤ）」が国連に設置され、同委員会が最終報告書として「Our Common Future」（邦題『地球の未来を守るために』、通称「ブルントラント報告」）を、昭和六十二（一九八七）年にまとめます。報告書では、「将来の世代のニーズを満たす能力を損なうことなく、今日の世代のニーズを満たすような開発」として、ＳＤの理念が掲げられることになります。同委員会の設置が日本の提案によって行われ、ＳＤの理念が作り上げられ、現代のＳＤＧｓの概念につながったのでした。

なぜ日本がＳＤの理念を主張し始めたのか？その背景の一つとして、国際貢献の際に日本国憲法との関係で自衛隊を国外に出すことが困難であったことも関係していました。

平成二（一九九〇）年八月二日、イラクによるクウェートへの軍事侵攻がきっかけで湾岸戦争が始まり、国連による多国籍軍が結成されてイラクへの空爆が開始、国際情勢が大きく変化していく中で日本も軍事的な貢献を求められていったのです。

当時の日本政府は、日本国憲法との関係で軍事的支援は困難であるとして資金提供による支援を行います。支援総額は最終的に百三十億ドルに達しますが、アメリカを中心とした多国籍軍の参加国から「金を出すだけの姿勢」と非難をされます。さらに湾岸戦争終結後、『ワシントンポスト』にクウェートが参戦国などに対する感謝広告を掲載したのですが、日本はその対象に含まれていませんでした。これらの経験が日本人のトラウマとなり、国際貢献をする際に日本はどのように取り組んでいくべきかが議論され、その文脈で環境問題分野における国際貢献に注目が集まり日本が動き始めたのでした。

以上が、レジ袋省令の根拠法令の容器包装リサイクル法の制定につながる環境基本法が作られる時代の国際状況になります。日本が国際貢献をしていくために環境問題について注目が集まり、環境基本法の整備につながった流れが分かるかと思います。

そして、環境基本法の次に制定されることになる容器包装リサイクル法に関係する国際状況の詳細については、第二章〈日本製品に対する輸入障壁の対応としての環境規制〉にて解説しています。

平成七年の容器包装リサイクル法の制定に向けて日本政府は、ＩＳＯ９０００（品質マネジメントの国際標準化）やＩＳＯ１４０００の影響を外圧として受けていました。当時は日本製品が世界で席巻していたためＩＳＯを利用し、合法的に日本製品を排除しようと対日貿易赤字を抱えている国々が動いていたのです。このＩＳＯも先述のアジェンダ21と連動していたため、日本政府は環境対策を国内でも取り組む対応に迫られることになります。そして、容器包装リサイクル法の制定に向けて動いていくことになりました。

ここまでがレジ袋省令の立法プロセスに関係する〈【起】「動機」①国際状況〉の解説になります。レジ袋省令の立法プロセスを調査するにあたり、いきなりレジ袋省令に関係する審議会をまとめるのではなく、根拠法となる容器包装リサイクル法、そしてその前身となる環境基本法が制定される背景まで調査しました。

立法プロセスチェック項目〈「起」動機〉のポイントは少し長いので、まとめるとこのようになります。

【起】「動機」①国際状況

(1)「小売業に属する事業を行う者の容器包装の使用の合理化による容器包装廃棄物の排出の抑制の促進に関する判断の基準となるべき事項を定める省令の一部を改正する省令」(レジ袋省令)の根拠法は、「容器包装に係る分別収集及び再商品化の促進等に関する法律」(容器包装リサイクル法)であり、制定に至る流れは平成五年に制定された環境基本法から来ている。

(2)平成四年六月、ブラジルのリオデジャネイロ市で開催された「環境と開発に関する国際連合会議」(通称:地球サミット)で「アジェンダ21」が採択される。世界各地の自治体で「ローカルアジェンダ21」が策定され、日本の環境基本法制定につながる。

(3)平成二年八月から始まった湾岸戦争において日本は軍事的な国際貢献を行えず、その後の一連の出来事がトラウマとなり国際貢献のあり方を模索し、環境問題において日本は国際貢献を目指していく動きが生まれる。(SDGsの概念につながる

「ＳＤ」の理念を日本が発信する）

(4)ＩＳＯとアジェンダ21が連動していたため、日本政府は国内において環境対策に取り組む必要に迫られて、容器包装リサイクル法の制定に向けて動いていく。

〈【起】「動機」①国際状況〉の項目にレジ袋省令の研究内容を当てはめていくと、国際貢献の文脈で日本国内の環境問題に関する規制の動きが出てきていることがわかります。

続いて国内状況における「なぜ、この規制を作ろうと思ったのか？」という〈「起」動機〉を見ていきたいと思います。

【起】「動機」…②国内状況

「立法プロセスチェック項目」の〈【起】「動機」…②国内状況〉では、日本国内における環境規制に向けた動きをまとめていきます。こちらもレジ袋省令の根拠法となる容器包装リサイクル法が制定されるころの国内状況を整理していきます。

日本で環境規制に対する注目が高まったのは、第二章〈一九七〇年の環境規制は一定の成果を上げていたが…〉にて詳細を書いていますが、古くは昭和四十五（一九七〇）年十一月末開催の臨時国会（通称：公害国会）の時期から、日本国内では環境規制への注目が高まります。公害国会では、当時の公害問題に関する集中的な審議が行われ、日本の環境関係の法律の大半がこの時期に作られることになります。

そして時は流れて、平成四年に開催された「環境と開発に関する国際連合会議」で「アジェンダ21」が採択されるなど世界的に環境問題対策への取り組みが注目を集め、日本国内でもリサイクルに関する環境問題対策に向けた機運が高まります。

日本の国会では、容器包装リサイクル法の制定に向けた議論が行われるようになり、橋本龍太郎通商産業大臣は、先述の一九七〇年代の日本で環境関係の法律の基盤が整備された話を「第１３２回国会　衆議院　商工委員会厚生委員会農林水産委員会環境委員会連合審査会　第1号　平成7年5月31日」で行いました。日本は新たな産業需要を創出して一定の成果を上げられたという認識を示したのですが、この認識は、一九七〇年代と同様に新たな環境規制として容器包装リサイクル法を制定しても日本経済の成長を阻害しないと考えられていたということです。このような環境規制に対する認識を政治家が持っていたことを情報として押さえつつ、一九九〇年代の日本国内の環境対策の問題を見ていくとリサイクル関係で逼迫した状況でもありました。

第二章〈平成七（一九九五）年六月十六日…レジ袋省令の根拠法令の制定〉にて詳細を書いていますが、当時は一般廃棄物の増大によりゴミの最終処分場が逼迫し、状況改善のために自治体側から容器包装リサイクル法の制定が求められていました。

当時は人口増加に伴いゴミの排出量が増加する状況でしたが、自治体では新たなゴミの処分場を確保することは困難であり、国が動かなければ問題解決が出来ないというロジックで進んでいました。

当時の国内状況のポイントとして押さえておくべきことは、解決すべき一般廃棄物としての容器包装廃棄物の対象に「プラスチック製買物袋（レジ袋）」が含まれていないことでした。容器包装廃棄物の主な対象は、ゴミの処理時にダイオキシンが発生して環境汚染につながる可能性があるゴミ（ペットボトル・瓶・缶・箱など）となっており、紙類やプラスチック製の容器包装廃棄物に関しては将来的な課題として扱われていました。

〈【起】「動機」…①国際状況〉に続いて、レジ袋省令の立法プロセス項目〈【起】「動機」…②国内状況〉を簡単にまとめると、以上のようになります。

【起】「動機」…②国内状況

(1)日本国内で環境規制への注目が高まったのは一九七〇年代。理由は公害問題対策。
(2)一九九〇年代に入り、世界的に環境問題対策への取り組みに注目が高まる。一部は外圧として日本国内に影響をもたらす中で、国内の環境問題としてはゴミの最終処分場の問題に注目が集まる。リサイクル問題に対する機運が高まり、容器包装リサイクル法の制定につながる。
(3)容器包装リサイクル法の制定に関係する審議会では、「プラスチック製買物袋（レジ袋）」の問題は将来的な課題として扱われていた。

今回のレジ袋省令の研究では、レジ袋省令の根拠法となる容器包装リサイクル法の制定から調査をしたため〈【起】「動機」〉でチェックする「なぜ、この規制を作ろうと思ったのか?」の国際状況と国内状況は、容器包装リサイクル法の制定に関する審議会や社会状況をまとめました。

法律で定められた規制の場合は、ここまでさかのぼって調査する必要はないかも知れませんが、規制が作られた背景をしっかりと押さえておくことで次のチェック項目である〈②「承」…審議会〉で調査するポイントが理解しやすくなります。

②「承」…審議会「最初にどのような議論がおこなわれたのか」

「立法プロセスチェック項目」には、審議会が二つ「承」と「転」にありますが、これは、審議会で話されている議論の内容に変化が見られる前後の審議会を、それぞれ分けているためです。

審議会は「調査会」や「審査会」などの名称が付されていることもありますが、国あるいは地方公共団体などの各行政機関に附属して置かれる合議制の機関のことを言います。「承」にあたる審議会では、「どういう目的で審議会が立ち上がったのか」「どんな法律を作ろうとしていたのか」などを明らかにしていくために、関係省庁や政治家、招集された

承 審議会

①法律
②政治
③社会状況（審議会）

「立法プロセスチェック項目」〈承〉

専門家の間でなされた議論を調査し、ポイントをまとめていきます。

【承】「審議会」…①法律

〈【承】「審議会」…①法律〉では、「法律の目的」や「どんな法律を作ろうとしていたのか」という観点で審議会の発言を中心にまとめていきます。レジ袋省令の場合は根拠法令が容器包装リサイクル法になりますので、この法律が作られた目的を審議会の議事録から調査してまとめていきます。

「第132回国会　衆議院　商工委員会厚生委員会農林水産委員会環境委員会連合審査会　第1号　平成7年5月31日」において容器包装リサイクル法の制定に関する質疑が行われます。

審査会の冒頭で容器包装リサイクル法の制定理由を政府側（通産省、厚労省、環境庁）が述べています。政府側からの説明の詳細は、第二章〈平成七（一九九五）年六月十六日…レジ袋省令の根拠法令の制定〉に該当部分の議事録を掲載しています。

容器包装リサイクル法の制定理由を簡単にまとめると、一般廃棄物の増大によりゴミの最終処分場が逼迫して自治体からは悲鳴があがっている状況で、主要な資源の大部分を輸入に依存し、廃棄物を再生資源として利用することが重要であることが制定理由であるとなっています。

一般廃棄物のうち大きな割合を占めており、リサイクルへの利用が技術的にも可能な容器包装廃棄物を対象に、リサイクルの抜本的な推進を図るのが法案の趣旨であるとの答弁がされています。

【承】「審議会」…①法律

(1)リサイクルに対する国内の機運が高まった一九九〇年代に容器包装リサイクル法が制定された。制定された背景には、容器包装廃棄物のリサイクルの抜本的な推進を図ることが目的としてあった。

【承】「審議会」…②政治

〈【承】「審議会」…②政治〉では、政治家や関係省庁が審議会でした議論の内容を見ていき、容器包装リサイクル法の制定に関係する審議会で、どのような議論がなされていたのかをまとめていきます。

レジ袋省令の根拠法令である容器包装リサイクル法に関する議論において、特に重要なポイントとなるのが、第二章〈平成十七年〜十八年…レジ袋有料化は「憲法違反の疑義がある」と指摘されていた〉で取り上げた「中央環境審議会廃棄物・リサイクル部会（第三十回）」の議事録です。

平成十七（二〇〇五）年四月二十六日に環境省の廃棄物・リサイクル対策本部にて開催された「中央環境審議会廃棄物・リサイクル部会（第三十回）」の議事録には、新進党の大野由利子衆議院議員が容器包装リサイクル法の環境規制を強めることを訴えるような質問をしています。

大野衆議院議員の質問に対して宮下創平環境庁長官は、容器包装リサイクル法は「容器包装廃棄物に対象を限定した法律である」と述べています。

また、同部会にてリサイクル推進室長は憲法との関係でレジ袋等の無料配布を一律で禁止することは難しいと述べていました。廃棄物の排出抑制のための一律禁止という措置が出来ないかという環境活動家からの問題提起に答えた形です。この部会の約一カ月後に開かれた「中央環境審議会廃棄物・リサイクル部会（懇談会）」でもリサイクル推進室長は同様の発言をしており、平成十七年当時の環境省は「日本国憲法との関係でレジ袋等の無料配布を一律で禁止することは難しい」という認識であることを示しています。これは、日本国憲法第二十二条「営業の自由」に対する違憲の疑義がある、という意味になります。

そして、平成十九（二〇〇七）年五月九日の衆議院経済産業委員会にて、レジ袋の有料化について民主党の太田和美衆議院議員が、あらためて憲法で保障された営業の自由の観点からレジ袋有料化が義務づけられていないと発言しています。

平成十七年～十八年あたりのリサイクル関係の部会の議事録を確認すると、令和元年にレジ袋省令が作られるまでは、「レジ袋の有料化を法制化することは、日本国憲法第二十二条の「営業の自由」に対する違憲の疑義があり困難」という認識が、政治家と関係省庁の官僚の間に存在していたと言えます。

【承】「審議会」…②政治

(1)平成十七年ごろの環境省は「レジ袋等の無料配布を一律で禁止にする法制化は日本国憲法第二十二条「営業の自由」との関係で困難」という認識であった。
(2)平成十九年の段階でも、日本国憲法第二十二条の「営業の自由」に対する違憲の疑義があるため、レジ袋有料化は難しいという共通認識が政治家と官僚の間に存在した。

【承】「審議会」…③社会状況（審議会）

〈【承】「審議会」③社会状況（審議会）〉では、政治家や関係省庁の官僚以外で審議会に参加をしている委員の発言も見ていきます。当時の社会状況も調べることで委員の発言内容の背景なども理解しやすくなります。

審議会の委員の任命については、設置の根拠となる法令に規定が置かれています。

審議会に参加する委員は、一定の資格要件を有する人の中から所轄の行政機関の長が任命することがほとんどです。国会の同意を要する任命（国会同意人事）の場合もありますが。

任命される人の資格要件は、審議会の目的や機能によって違います。学識経験者からの任命が多いのですが、関係当事者間の利害調整役として、対立する利益集団の代表委員と公益委員からなる三者構成が採られることもあります。

先述した、平成十七年四月二十六日の中央環境審議会廃棄物・リサイクル部会（第三十回）における環境省のレジ袋有料化に対する認識や、平成十九年五月九日の衆議院経済産業委員会の太田衆議院議員の発言から分かるように、政治家と関係省庁の官僚は法令によってレジ袋の有料化をすることは困難であると認識していました。

しかし、平成十七年六月十三日に開催された中央環境審議会廃棄物・リサイクル部会（懇談会）のヒアリングに委員として参加した早稲田大学法学部の大塚直教授は、環境法の専門家として意見を求められた際にレジ袋の有料化に関して、このような発言をしています。

大塚委員の発言における注目点は二点あります。一点目は「法的措置についてもかなり柔軟に考える余地はある」と述べたことです。憲法第二十二条「営業の自由」の観点からレジ袋有料化の法制化は憲法違反の疑義があるという認識に若干の修正が入っているのです。

もう一つ注目するべき発言が「チェーンストア協会の方から要請があるとか、実際に有料化によって影響を受けるところから要請が出ている」になります。この発言は、平成十七年時点のレジ袋有料化に対する業界団体の考えを代弁したものになります。

第二章に部会での発言内容の詳細を書いていますが、レジ袋有料化によって利益を得ることが出来る業界も存在したため、チェーンストア業界に属する大手スーパーマーケットやコンビニエンスストアはレジ袋有料化を当時から求めていました。レジ袋有料化を求める意見も存在をしていたのですが、当時は憲法違反の疑義があるという理由で法制化は見送られていました。

【承】「審議会」…③社会状況（審議会）

(1)リサイクルに関する部会に招かれた大塚直委員から、レジ袋有料化の法制化は憲法違反の疑義があるという認識に修正が入っていた。
(2)チェーンストア業界に属する大手スーパーマーケットやコンビニエンスストアは、レジ袋有料化による利益が得られるため、平成十七年時点からレジ袋有料化を求めていた。

③「転」…審議会「議論の様相が変わったのはなぜか」

〈【転】「審議会」〉では、〈【承】「審議会」〉の段階の審議会で話されていた議論の様相に変化が起きた後の審議会を対象に調査をしていきます。

レジ袋省令の根拠法令である容器包装リサイクル法の制定後しばらくの間は、レジ袋の有料化を法制化することは、憲法第二十二条の「営業の自由」に抵触する恐れがあるために難しいと、政治家や関係省庁の官僚には認識されていました。

ですが、この認識に変化が現れ始めるのが平成二十二（二〇一〇）年以降になります。

【転】「審議会」…①法律

本書で研究対象としたレジ袋省令の場合、法律ではなく省令であるため〈【転】「審議会」…①法律〉のチェック項目には当てはまりません。レジ袋省令の根拠法令である容器包装

転　審議会

①法律
②政治
③社会状況（審議会）

「立法プロセスチェック項目」〈転〉

リサイクル法も、レジ袋有料化に向けて次第に議論が変化していく状況でも、法改正の動きは行われませんでした。

おかしな規制の立法プロセスをチェックするときに、法律の改正が行われていた場合は、法改正がされた時期の国会議事録などを中心に調査し、最初に法律として定められたときと改正法案における目的に変化があるのかを押さえておくことが大切になってきます。

【転】「審議会」…①法律

(1)レジ袋省令は法律ではないため該当しない。

【転】「審議会」…②政治

政治家や関係省庁の官僚が、レジ袋有料化に対する認識を大きく変化せざるを得ない状況となったのは、東京オリンピックが関係しています。第二章〈東京オリンピック開催決定でレジ袋有料化決定⁉…形式上は「有料化推奨」〉で詳細は解説していますが、令和元年六月十五日と十六日の日程で開催された「G20持続可能な成長のためのエネルギー転換と地球環境に関する関係閣僚会合」で世耕弘成経済産業大臣が突如として発した発言内容が大きな転機になりました。

審議会での発言ではないのですが、レジ袋省令の立法プロセスにおいて重要なポイントです。G20の会合に出席していた世耕経産大臣は六月十五日の会合で、令和二年度開催予定の東京オリンピックまでに間に合うように来年四月一日にレジ袋有料化の実施を目指すことを突如表明しました。この発言がレジ袋有料化の端緒となり、急速にレジ袋有料化に向けた動きが関係省庁で進んでいくことになりました。

【転】「審議会」…②政治

⑴令和元年六月開催のG20の会合において、世耕経産大臣が突如として令和二年度開催予定の東京オリンピックの開催前にあたる四月一日までにレジ袋有料化を実施することを目指すと表明。関係省庁がレジ袋有料化に向けた法整備に動き始める。

【転】「審議会」…③社会状況（審議会）

レジ袋省令の立法プロセスにおいて、レジ袋有料化に向けた社会状況の変化を押さえておくことは非常に重要になってきます。何故ならば、レジ袋有料化に向けて動き始めたきっかけは世耕経産大臣の発言ですが、社会状況も大きく関係しているためです。

第二章〈平成二十二年以降…環境規制に関するトレンドに変化が現れる〉で詳細を解説しましたが、環境規制に対するトレンドは平成二十二年以降に国際状況、国内状況ともに大きく変化してきています。

まず国際状況としては、世界的な環境規制に対するトレンドの変化が平成二十二年以降に起きて、ＣＯ２排出権取引ビジネスが拡大していきます。同年に国連の気候変動枠組条約の第四代事務局長に就任したクリスティアナ・フィゲレス氏は、平成二十七（二〇一五）年にパリで開催したＣＯＰ21でパリ協定の合意を成し遂げます。パリ協定は世界共通の長期目標として温室効果ガス排出量の削減が取り入れられており、これによって環境問題に対する世界的な枠組みが決まり、日本の環境規制に対する外圧の一つとして影響することになりました。

その他の国際状況でポイントとなるのは、オリンピックそのものが環境対策に大きく関係する国際イベントとして扱われていたことです。平成四年開催のバルセロナオリンピックからオリンピックに環境対策が関係するようになり、東京オリンピック招致の際も「環境を優先する２０２０年東京大会」が理念として掲げられていました。

平成二十二年以降、国連においては温室効果ガスの排出量削減に向けた世界的な動きがあり、東京オリンピック招致と環境対策との関係性などが元々存在していたことなど、これらがレジ袋有料化に関係する国際状況となっていました。

国内における環境規制のトレンドが変化するきっかけとなった出来事は、平成二十三（二〇一一）年三月十一日に発生した東日本大震災に伴って起きた福島第一原子力発電所の事故です。

福島第一原子力発電所の事故を受けて、損害賠償に関する行政を所管する国務大臣（原子力損害賠償支援機構担当）を環境大臣が兼務することになります。そして、原子力行政の担当も経産大臣に代わり環境大臣が兼務するようになりました。そこから原子力の規制強化の方向に環境省は動き出し、再生可能エネルギーを原子力の代わりに推進し始めます。日本国内における環境規制に対する大きなトレンド変化と言えます。

平成二十二年以降、国際状況と国内状況における環境規制に対するトレンドに変化が起きていた社会状況が背景にあったうえで、令和元年六月に世耕経産大臣がレジ袋有料化に向けた発言がなされて、レジ袋有料化に向けた法制化の流れにつながっていきました。

【転】「審議会」…③社会状況（審議会）

(1)平成二十七年開催のＣＯＰ21でパリ協定が合意され、世界共通の長期目標として温室効果ガス排出量の削減が取り入れられて、国際的な環境規制のトレンドが変化する。日本国内の環境規制に対する外圧としても影響してくる。

(2)平成四年開催のバルセロナオリンピックから、オリンピックに環境対策が関係するようになる。東京オリンピック誘致の際も「環境を優先する２０２０年東京大会」を理念として掲げていた。

(3)平成二十三年三月十一日に発生した東日本大震災に伴って起きた福島第一原子力発電所の事故がきっかけで、原子力行政の担当が環境大臣による兼務となる。原子力は規制強化の方向に進み、環境省は再生可能エネルギーを推進する。日本国内の環境規制のトレンドが変化する。

④「結」…制度化「どのようにして規制が作られるのか」

立法プロセスチェック項目の四番目〈④「結」…制度化〉では、審議会を経て法律または省令として「制度化」された状況を指しています。レジ袋有料化を定めたレジ袋省令の場合は、法律ではなく省令という形の規制になっています。とはいえ、法律も省令も規制の一つであることに変わりはありませんので、規制として「制度化」されたレジ袋省令が実施されるに辺り、さまざまな問題点をまとめています。

【結】「制度化」…①法律

令和元年六月開催のG20会合にて、世耕経産大臣が令和二年東京オリンピック開催前のレジ袋有料化の実現に向けた表明を行った後、関係省庁がレジ袋有料化の法制化に向けて動き始めます。第二章〈東京オリンピック開催決定でレジ袋有料化決定⁉…形式上は「有料化推奨」〉に、日本国憲法第二十二条「営業の自由」を侵害するという憲法違反の疑義

結 制度化

①法律
②省令
③実施・影響

「立法プロセスチェック項目」〈結〉

をどのように乗り越えたのかを書いていますが、簡単に言うと、レジ袋有料化を法律ではなく省令という形の規制とすることで乗り越えようとしました。

【結】「制度化」…①法律

(1)レジ袋有料化の法制化は困難であったため、省令という形で規制を制定。

【結】「制度化」…②省令

〈【結】「制度化」…②省令〉の項目では、レジ袋省令の内容についてまとめていきます。

レジ袋省令は、「小売業に属する事業を行う者の容器包装の使用の合理化による容器包装廃棄物の排出の抑制の促進に関する判断の基準となるべき事項を定める省令の一部を改正する省令」という非常に長い名称の新たな規制として作られました。

レジ袋有料化の法制化に関する憲法違反の疑義は解決しないまま、さまざまな例外規定を設けて「レジ袋の有償頒布を強く推奨する」という形式をとりました。「レジ袋有料化は、あくまで強制ではない」として、憲法違反の疑義の問題をクリアしたことにしたのです。規制の内容については「プラスチック製買物袋有料化実施ガイドライン」に詳細が記載されています。「レジ袋有料化は、あくまで強制ではない」の根拠としている理由は、ガイドラインに無料で配布可能なレジ袋の条件を設定したためです。

実際に有料化の対象外の買物袋として、以下の三点の項目のどれかに当てはまるレジ袋は事業者判断でレジ袋省令実施後でも無料配布が可能でした。

①プラスチックのフィルムの厚さが五十マイクロメートル以上のもの
②海洋生分解性プラスチックの配合率が一〇〇％のもの
③バイオマス素材の配合率が二十五％以上のもの

三つの例外規定を設けてレジ袋の無料配布を可能としているため、憲法第二十二条「営業の自由」を保障し、有料化は一律強制ではない、というのが政府の姿勢となっていきます。省令という形でレジ袋有料化を可能にし、憲法違反の疑義も乗り越えたように見えるのですが、実際にレジ袋省令を実施する段階になるとさまざまな問題が出てきます。

【結】「制度化」…②省令

(1)レジ袋有料化を法律で実施することは困難であったため、省令という形にしてレジ袋有料化を可能にした。憲法違反の疑義については、レジ袋の無料配布を可能とする例外規定を「プラスチック製買物袋有料化実施ガイドライン」に設けることで、憲法第二十二条「営業の自由」を保障し、有料化は一律強制ではなく憲法違反をしていないという対応を政府側はした。

【結】「制度化」…③実施・影響

〈【結】「制度化」…③実施・影響〉の項目では、レジ袋省令実施の前後に日本国内で、どのような問題が起きたのかをまとめていきます。レジ袋省令によって生じた問題は数が多いので、いくつものチェックポイントがあります。

令和二年七月一日、レジ袋省令が実施されることになるのですが、関係省庁は国民に対する周知広報をレジ袋省令実施前から展開していきました。第二章〈広報戦略における縦割り行政の弊害〉にて、経産省と環境省によるレジ袋省令の広報戦略を解説しました。詳細は第二章を確認していただければと思いますが、簡単に両省の広報戦略を評価すると、両省ともに広報の質、量に問題があったと言わざるを得ません。両省のレジ袋省令の広報戦略には問題点が多くあり、レジ袋有料化に対する誤った認識を国民に広めてしまいました。

レジ袋省令の広報戦略は縦割り行政の弊害を感じさせる状況で、経産省と環境省による広報戦略は最初から違っており、結果として不十分な広報になってしまいました。

経産省による広報戦略は、あくまでも事業者に向けた広報であり、一般国民に対する広報を経産省は担当しないという姿勢でした。では、事業者に対する広報をしっかりと行えたのかというと、事業者に対する広報は日程的にかなり無理がある状況で、結果として不十分な広報になってしまったと言わざるを得ません。

令和元年六月、世耕経産大臣の発言によって東京オリンピック開催前の令和二年四月一日までにレジ袋有料化実施を目標とすることになりました。関係省庁としては、一年にも満たない期間でレジ袋有料化の法制化と国民に対する広報を行わなければいけないという、非常にタイトなスケジュールとなってしまいました。

そのような状況で経産省は、令和二年三月に事業者向けの説明会を実施する予定を立てます。しかし、令和元年の年末ごろから世界的に流行した新型コロナウイルス感染症の影響で、事業者向けの説明会の開催は延期することになります。その後も説明会の開催は行われずに、令和二年五月二十六日に「プラスチック製買い物袋有料化」という動画を経産省はインターネット上に投稿します。そして、事業者向けの説明会は、六月にオンライン開催という形で実施されることになります。

事業者を対象にした経産省によるレジ袋省令の説明会は、新型コロナウイルス感染症の影響などイレギュラーな事態の影響もあり、十分な広報を実施出来たとは言えませんでした。

一方、事業者以外の国民に対するレジ袋省令の広報戦略はどうなっていたのかというと、経産省側では環境省が対応していると認識していました。

環境省によって行われた国民に対するレジ袋省令の広報内容としては、環境省が作成した広報用CMや周知用のポスターなどが確認出来ます。魚類学者・タレントのさかなクンやお笑いタレントの西川きよし氏などを採用した広報CMを通じて国民にレジ袋省令が令和二年七月一日からスタートすることを周知したのです。環境省作成のポスターにもレジ袋省令が実施されることを伝える内容となっていました。

これらの環境省作成の広報CMやポスターなどを通して国民に対する広報を行っていたのですが、この広報にも大きな問題点が見られました。広報CMやポスターを確認すると「レジ袋有料化」の文言は広報されていても、「プラスチック製買物袋有料化実施ガイドライン」に記載されている例外規定が広報されていませんでした。無料配布可能なレジ袋の基準を定めた例外規定について広報CMやポスターでは一切触れていないことは、憲法違反の疑義をクリアするための条件を蔑ろにするもので、レジ袋省令という新たな規制の内容を国民に周知するという意味において問題であったと言わざるを得ません。

また、経産省・環境省による広報戦略のみならず、レジ袋省令の実施前後に環境大臣であった原田義昭や小泉進次郎もレジ袋省令に例外規定が設けられていることについての説明をほとんど行いませんでした。仮にも省庁のトップである大臣自らが国民に対して伝えるべき情報を十分に伝えていなかったのは、非常に問題です。

特に悪質だったのは原田義昭です。

原田は、レジ袋の〝有料化〟を一律に強制すれば憲法違反になりかねないという問題があったことを十分に認識していながら（仮に、その認識がなかったなら、立憲国家で政治家を名乗る資格はありません）、自らのウェブサイトで、レジ袋の〝有料化〟の有料化を自らの手柄として、何ら恥じることなく、以下のように滔々と語っています。

なお、敢えて言うなら、「レジ袋有料化」は、この私が大臣主導で決定したものです。

――――（中略）――――

大臣というのは非常に強い権限を持っており、政治的責任を取る覚悟さえあれば、ほぼ何でも決断できる強い立場にあります。強い決意で臨んだこと、それ故にその後もしっかりフォローする責任を持つことを感じたものです。

さらに、令和二年七月一日の制度実施を前に、以下のようにも語っています。

昨年6月4日、私は環境大臣として「レジ袋有料化」の方針を発表した。長年に亘る社会的懸案であったのだが、有料化することで、国民全てにプラスチック使用の抑制とその意識付けになることを狙ったもの。

大臣はその気になりさえすれば、議会を無視して省令を強引に押し通し、やりたい放題好き勝手にしても良いといわんばかりの傲岸不遜な態度は、民主国家、法治国家の大臣として絶対に許容できるものではありません。内心秘かにそのように思っていたとしても、自らのサイトで手柄話、自慢話として得意げに語るなど論外です。

さらに、原田が卑劣だったのは、これだけ「レジ袋〝有料化〟」を自分の手柄として自慢しておきながら、世論の反発が強いと見るや、令和三年十月の総選挙では、その実績を一切表に出さないという戦術をとりました。当然のことながら、有権者がこうした姑息な対応に納得するはずもなく、選挙期間中、彼の演説予定などがSNSに書き込まれるたびに「レジ袋の原田」というコメントが殺到。それも一因となり、彼は立憲民主党の新人候補に敗れ、比例復活もできずに政界を去りました。

「その後もしっかりフォローする責任を持つ」という無責任な放言を見事に裏切ったかたちです。なお、本書で引用した原田の発言は、令和四年末現在、事前に登録したパスワードを入力しなければ閲覧できないようになっており、己の非を反省するどころか、有権者の検証を困難にし、自らの責任に頬かむりして逃げ回るという、実に卑怯な態度をとり続けています。

経産省や環境省、原田・小泉の両環境大臣のさまざまな広報を多くの国民は見ていましたが、「レジ袋有料化」の文言ばかりで無料配布可能なレジ袋の条件を定めた例外規定は周知されなかったため、レジ袋省令は令和二年七月一日から開始後、コンビニエンスストアやスーパーマーケットなどで配布されるレジ袋は、すべて有料化されたものだと多くの国民は勘違いをしてしまいました。

経産省・環境省と政治家による国民に対する広報不足の結果として、「レジ袋有料化義務化」が実施されたという認識が多くの国民に持たれるようになってしまったのは、大きな問題点であるといえます。

ちなみに、第二章〈ガイドラインの問題点…経済産業省官僚へのヒアリング〉で詳細を書いていますが、「レジ袋有料化義務化」という認識は、例外規定を設けて無料配布可能なレジ袋を認めているため誤った認識になります。「レジ袋有料化義務化」という文言はガイドラインの冒頭に一カ所だけ出てくるのみで、これが「レジ袋有料化義務化」という誤った認識が広まる原因となりました。

経産省側へのヒアリングを行った際に「有償で提供することによりプラスチック製買物袋の排出抑制を事業者に行って頂きたいという趣旨をわかりやすくするために「義務化」という表現」にしたと答えており、経産省側の「レジ袋有料化義務化」という文言に対する認識と国民が受け取る認識に齟齬が発生していることが分かります。

【結】「制度化」…③実施・影響

⑴令和二年七月一日にレジ袋省令が実施されるまでに、経産省や環境省、原田義昭環境大臣や小泉進次郎環境大臣がさまざまな場でレジ袋省令に関する広報を行っていた。

事業者に対する経産省の広報は新型コロナウイルス感染症の影響などもあり、十分な広報を行うことは出来なかった。

環境省と両環境大臣による広報は「レジ袋有料化」の情報ばかりを伝えており、「プラスチック製買物袋有料化実施ガイドライン」に設けられた例外規定については、ほとんど広報されることがなかった。その結果、多くの国民は「レジ袋有料化義務化」がレジ袋省令によって実施されたと認識してしまった。

この「レジ袋有料化義務化」はガイドラインの冒頭一カ所だけ書かれているが、実際には「有料化義務化」という認識は誤りであり、経産省側の意図と国民が受け取る認識の齟齬が生じている。


政治側のレジ袋省令の広報戦略は不十分であり、多くの国民には「レジ袋有料化義務化」という誤った認識が持たれてしまいました。そのような状況でレジ袋省令に関係する事業者側の対応は、どのようになっていたのかを見ていきます。

「レジ袋有料化義務化」という誤解が広まった状況でも、ガイドラインの例外規定に当てはまる無料配布可能なレジ袋を無料配布している事業者は当然ながら存在しました。しかし、すべての事業者が同様の対応を行ったわけではありません。無料で配布可能なレジ袋でありながら「レジ袋省令の実施に伴って、レジ袋を有料化しました」というような事業者や、プラスチック製ではない紙製の買物袋を有料化するという事業者も出てきました。「レジ袋有料化義務化」という誤解を持つ多くの国民は、本当は無料配布が可能なレジ袋や、レジ袋省令とは関係のない紙製の買物袋の有料化に対して、疑問を抱けずにその状況を受け入れることになりました。

ただし、無料配布可能なレジ袋を有料で販売するという判断は事業者が自由に行うことが可能です。ですので、レジ袋の有料化をしたこと自体をレジ袋省令の問題点とすることは出来ません。一種の便乗値上げのような事業者の対応は気になるところですが…。

レジ袋省令の広報に関して、経産省・環境省・政治家などは多くの国民の間に広まった「レジ袋有料化義務化」という誤解を正していく必要があると考えられます。

【結】「制度化」…③実施・影響

(2)「レジ袋有料化義務化」という誤解が国民に広まった状況でも、例外規定にあてはまる無料配布可能なレジ袋を無料配布している事業者は存在した。しかし、例外規定にあてはまる無料配布可能なレジ袋を有料で販売する事業者も見られた。一種の便乗値上げと思われる事業者も存在した。

レジ袋省令が実施されたことでどのような効果があったのかは、第二章〈そもそもレジ袋省令に効果はあったのか?……まともな検証すらもされない〉に詳細を書いています。第二章でも書いていますが、レジ袋省令の政策による効果はまともに検証されていません。その理由は、「行政機関が行う政策の評価に関する法律施行令の第三条六」で政策評価の対象に含まれていない「省令」であるためです。省令による規制も法律による規制のどちらも国民に課される規制であることに変わりはないのですが、政策評価の対象が分けられているのです。

レジ袋省令は政策評価の対象外ですが、環境省がレジ袋省令実施後に公表した情報がいくつかありますので、レジ袋省令でどのような効果があったのかを見ていきます。

そもそも、政策を評価するためには政策の目的を確認する必要があります。令和元年五月三十一日に政府が公表した「プラスチック資源循環戦略」にレジ袋省令の政策目的が記載されています。そこには、「レジ袋の有料化義務化（無料配布禁止等）をはじめ、無償頒布を止め「価値づけ」をすること等を通じて、消費者のライフスタイル変革を促します。」と記載されています。つまり、消費者のライフスタイル変革を促すことが、レジ袋省令によるレジ袋有料化の政策目的だったのです。

令和二年七月二十九日放送のＢＳフジのプライムニュースに出演した小泉進次郎環境大臣もレジ袋有料化の目的はレジ袋を削減することではなく、国民一人一人の環境問題に対する意識を啓発することだと話していました。

新たな規制を設ける政策目的が「国民の環境問題に対する意識の啓発」というのは、非常に疑問が残るところですが、小泉環境大臣のメディア出演時の発言は、レジ袋有料化の政策目的としては間違っていなかったのです。

そして、環境省は令和二年十二月九日に「令和2年11月レジ袋使用状況に関するＷＥＢ調査」を公表します。このＷＥＢ調査には、十～七十代男女、二千百人を対象に行った「あなたは、最近1週間以内に買物をした店舗でレジ袋をもらいましたか。（有料で使い捨てのレジ袋を購入した場合も含む）」という意識調査の結果が掲載されています。調査の結果、七十一・九％がもらっていないという回答を得ます。これは、「二〇二〇年三月時点で、レジ袋を一週間使わなかった人が約三割だったのを、十二月で六割にすること」を目標に活動をしたものになります。「みんなで減らそう　レジ袋チャレンジ」というキャンペーンの一環であり、調査結果を見ると目標の六割を超える七割の人がレジ袋を一週間使わなかったと回答しているので、一応は目標を達成したということにはなるのでしょう。

それ以外にレジ袋有料化の効果として環境省が公表したものが「レジ袋有料化（2021年7月開始）の効果」になります。日本経済綜合研究センターの『包装資材シェア事典2021年版』を引用し、レジ袋有料化前の令和元年は、レジ袋国内流通量が約二十万トンであり、有料化後の令和三年は約十万トンとレジ袋の国内流通量が半減していることを掲載しています。

環境省の公表した資料を見ると、レジ袋省令の「消費者のライフスタイル変革を促す」という所期の目的は、WEB調査結果やレジ袋の国内流通量の減少などの情報を見る限りは達成されていると思われます。ところが、政策目的そのものが曖昧なものであるためなのか、令和四年現在もレジ袋有料化の政策は継続したままです。

【結】「制度化」…③実施・影響

⑶レジ袋省令は「省令」であるため、「行政機関が行う政策の評価に関する法律施行令の第三条六」における政策評価の対象外となっている。

環境省がレジ袋省令の実施後に公表した資料を確認すると、レジ袋省令の政策目的としている「消費者のライフスタイルの変革を促す」は、すでに達成していると思われるが、政策目的の達成基準が不明確であるため、現在もレジ袋省令は継続している。

レジ袋省令の実施後にもっとも大きな影響を受けることになったのは、第二章〈レジ袋省令により死活的な影響を受ける国内レジ袋産業〉で解説をした国内のレジ袋製造業者でした。

大手スーパーマーケットやコンビニエンスストアで販売されているレジ袋の大半は輸入品であるため、国内のレジ袋製造業者はレジ袋省令実施前から、厳しい競争関係に晒されている状況でした。そのような状況でレジ袋省令が実施され、レジ袋の有料化が開始されると国内のレジ袋製造業者は経営に大打撃を受けることになりました。

国内のレジ袋流通量は、令和元年から令和三年の二年ほどの間で半減する状況となり、国内のレジ袋製造業者は経営的に死活的な状況に追い込まれてしまいます。東証二部上場の大手レジ袋製造業者のスーパーバッグは、レジ袋省令によるレジ袋有料化と、同じ時期に流行が始まった新型コロナウイルス感染症の影響で企業業績を大幅に下げてしまい、令和四年度に入るころには、希望退職者を募る動きを出さなければいけない状況になりました。

ただし、レジ袋省令実施と新型コロナウイルス感染症の流行開始のタイミングが被っていたため、レジ袋省令によって受けた経済的損失が実際にどの程度なのか、すべてを証明することは困難です。

レジ袋省令の実施後の経済的な影響はレジ袋製造業者以外にも表れており、レジ袋有料化による消費者の買い控えによる経済全体への悪影響や、有料化レジ袋の管理費などの事務負担の増加が中小企業を苦しめて、セルフサービスでマイバックに商品を入れる頻度が増えたことによる万引き被害の増加など、国民生活の多様な面でマイナスの影響が表れることになりました。

【結】「制度化」…③実施・影響

(4)レジ袋省令の実施前から厳しい状況にあった国内のレジ袋製造業者は、レジ袋有料化が始まると企業業績を大幅に下げることになった。ただし、新型コロナウイルス感染症の流行開始時期とレジ袋省令の開始時期が被るため、レジ袋省令による経済的損失をすべて証明することは困難といえる。

(5)レジ袋有料化後に消費者の買い控えが増加、中小企業者の事務負担の増加、セルフサービスでマイバックの使用が増えて万引き被害が増加するなど、経済全体へのマイナスの影響が表れてくる。

そして、レジ袋省令が実施された翌年、令和三年六月十一日「プラスチックに係る資源循環の促進等に関する法律」（プラスチック新法）が公布されます。レジ袋省令に続いて、使い捨てプラスチック製品に対する規制が強化されることになったのです。

プラスチック新法の詳細は、第二章〈政策検証も行われないまま更なる規制強化が進む〉に書いていますが、この法律は特定プラスチック使用製品の対象となる十二品目（使い捨てプラスチック製のスプーンやフォークなど）を廃棄物として処理する際に、排出抑制の取組みを事業者に求める新たな規制でした。

そして、プラスチック新法の問題点は何かというと、レジ袋省令と同様に国民に対する広報に問題がありました。環境省のホームページには、特定プラスチック使用製品十二品目の廃棄物排出抑制の方法を何種類も掲載していました。その方法の一つとして特定プラスチック使用製品十二品目を有償で提供することが提示されていました。

あくまでも一例に過ぎないのですが、プラスチック新法の対象とされた使い捨てプラスチック製品の「有料化義務化」が一律で導入されるという誤解がメディアやインターネット上で広まり、プラスチック新法の施行後に有料で販売されかねない状況となりました。

しかし、プラスチック新法が施行される前に、政官界ではレジ袋省令やプラスチック新法の問題に注目が集まり始めていました。第二章〈レジ袋省令における広報の問題点が国会で問われ始める〉で詳細を書いていますが、ＮＨＫ党の浜田聡参議院議員が国会において、「レジ袋有料化義務化」やプラスチック新法に関する質問主意書をいくつも政府側に提出していきました。

レジ袋省令とプラスチック新法の問題に注目が集まる状況で、令和三年四月一日、プラスチック新法が施行されます。プラスチック新法の施行前からメディアなどで使い捨てプラスチック製品の有料化が騒がれていましたが、プラスチック新法の施行後の大手コンビニ各社は使い捨てプラスチック製品の有料化を見送る対応をしました。代わりに無料配布可能な使い捨てプラスチック製のスプーンやフォークなどを導入することになりました。

使い捨てプラスチック製品がレジ袋と同様に「有料化義務化」されるとの誤解が、多くの国民に広まっている状況でしたが、政官界でプラスチック新法に注目が集まったことが影響したのか、使い捨てプラスチック製品の有料化を見送らせる結果につながりました。

【結】「制度化」…③実施・影響

⑹レジ袋省令が実施された翌年に新たな規制「プラスチックに係る資源循環の促進等に関する法律」（プラスチック新法）が施行されることになった。

プラスチック新法の施行前の段階で、レジ袋と同様の使い捨てプラスチック製品の「有料化義務化」という誤解が多くの国民の間で広まるが、政官界でレジ袋省令やプラスチック新法の問題点に注目が集まり始める。

使い捨てプラスチック製品の「有料化義務化」という誤解が広まった状況ではあったが、プラスチック新法の施行後、大手コンビニ各社は無料配布可能な使い捨てプラスチック製品の導入で対応するなど、使い捨てプラスチック製品の有料化は見送られた。

以上が、立法プロセスチェック項目〈【結】「制度化」…③実施・影響〉における、レジ袋省令が規制として「制度化」されて、日本国内でどのような問題が起きたのかをまとめた形になります。レジ袋省令では、六つのチェックポイントがあったことが判明しました。

【結】「制度化」…③実施・影響

⑴令和二年七月一日にレジ袋省令が実施されるまでに、経産省や環境省、原田義昭環境大臣や小泉進次郎環境大臣がさまざまな場でレジ袋省令に関する広報を行っていた。

事業者に対する経産省の広報は新型コロナウイルス感染症の影響などもあり、十分な広報を行うことは出来なかった。

環境省と両環境大臣による広報は「レジ袋有料化」の情報ばかりを伝えており、「プラスチック製買物袋有料化実施ガイドライン」に設けられた例外規定については、ほとんど広報されることがなかった。その結果、多くの国民は「レジ袋有料化義務化」がレジ袋省令によって実施されたと認識してしまった。

この「レジ袋有料化義務化」はガイドラインの冒頭一カ所だけ書かれているが、実際には「有料化義務化」という認識は誤りであり、経産省側の意図と国民が受け取る認識の齟齬が生じている。

(2)「レジ袋有料化義務化」という誤解が国民に広まった状況でも、例外規定にあてはまる無料配布可能なレジ袋を無料配布している事業者は存在した。しかし、例外規定にあてはまる無料配布可能なレジ袋を有料で販売する事業者も見られた。一種の便乗値上げと思われる事業者も存在した。

(3)レジ袋省令は「省令」であるため、「行政機関が行う政策の評価に関する法律施行令の第三条六」における政策評価の対象外となっている。

環境省がレジ袋省令の実施後に公表した資料を確認すると、レジ袋省令の政策目的としている「消費者のライフスタイルの変革を促す」は、すでに達成していると思われるが、政策目的の達成基準が不明確であるため、現在もレジ袋省令は継続している。

(4)レジ袋省令の実施前から厳しい状況にあった国内のレジ袋製造業者は、レジ袋有料化が始まると企業業績を大幅に下げることになった。ただし、新型コロナウイルス感染症の流行開始時期とレジ袋省令の開始時期が被るため、レジ袋省令による経済的損失をすべて証明することは困難といえる。

(5)レジ袋有料化後に消費者の買い控えが増加、中小企業者の事務負担の増加、セルフサービスでマイバックの使用が増えて万引き被害が増加するなど、経済全体へのマイナスの影響が表れてくる。

(6)レジ袋省令が実施された翌年に新たな規制「プラスチックに係る資源循環の促進

等に関する法律」（プラスチック新法）が施行されることになった。

プラスチック新法の施行前の段階で、レジ袋と同様の使い捨てプラスチック製品の「有料化義務化」という誤解が多くの国民の間で広まるが、政官界でレジ袋省令やプラスチック新法の問題点に注目が集まり始める。

使い捨てプラスチック製品の「有料化義務化」という誤解が広まった状況ではあったが、プラスチック新法の施行後、大手コンビニ各社は無料配布可能な使い捨てプラスチック製品の導入で対応するなど、使い捨てプラスチック製品の有料化は見送られた。


このように立法プロセス項目〈【結】「制度化」〉を詳細に見ていくことで、レジ袋省令が規制として「制度化」されたあとに、多くの業界や国民に対してさまざまな影響を及ぼしていることが分かります。

一つの規制の問題点を取り上げるときに、一部の問題だけに注目をするのではなく、規制の実施前と後の政府側の対応や、規制に関係する業界に対する影響、国民全体に対する影響、メディアやマスコミがどのように規制について報じていたのか、など幅広い視点で

後　事後質疑

①承→転、転→結の問題点
②起の状況変化

「立法プロセスチェック項目」〈後〉

情報を収集していくことが、規制の問題点を明らかにするうえで大切になってきます。

⑤「後」…事後質疑「立法における問題点は何か」

立法プロセスチェック項目〈⑤「後」…事後質疑〉では、「立法後における問題点は何か」をまとめていきます。レジ袋省令はすでに規制として「制度化」されて立法後（レジ袋省令は省令の改正ですが）の状態「事後質疑」にあたります。

【後】「事後質疑」…①承→転、転→結の問題点

〈【後】「事後質疑」…①承→転、転→結の問題点〉では、〈②「承」審議会〉から〈③「転」審議会〉に至るまでの問題点と、〈③「転」審議会〉から〈④「結」制度化〉に至るまでの問題点を分けてまとめていきます。

立法プロセスチェック項目の二番目〈②「承」…審議会「最初にどのような議論がおこなわれたのか」〉から三番目の〈③「転」…審議会「議論の様相が変わったのはなぜか」〉の流れにおいて注目すべき点は、審議会での議論の内容に変化が起きたところです。

そして、立法プロセスチェック項目の三番目〈③「転」…審議会「議論の様相が変わったのはなぜか」〉から四番目の〈④「結」…制度化「どのようにして規制が作られるのか」〉の流れにおける注目点は、審議会で議論をされていたポイントが規制として「制度化」されたあとに、どのような問題が発生したのかをまとめていきます。

〈②「承」審議会〉から〈③「転」審議会〉、〈③「転」審議会〉から〈④「結」制度化〉の流れで見ていくことで、レジ袋省令の立法プロセスにおける一連の問題点を把握しやすくなります。

【後】「事後質疑」…①承→転の問題点

〈②「承」…審議会〉では、レジ袋省令の根拠法になった容器包装リサイクル法に関する審議会を調査していきました。関係省庁や政治家、専門家を交えて行われた審議会での議論から「どういう目的で審議会が立ち上がったのか」「どんな法律を作ろうとしていたのか」などの観点を、①法律、②政治、③社会状況の三点に分けてまとめていきました。

〈【承】「審議会」…①法律〉では、「法律の目的」や「どんな法律を作ろうとしていたのか」を審議会の発言を中心にまとめました。レジ袋省令は容器包装リサイクル法を根拠法令にして作られた規制になりますので、容器包装リサイクル法が作られた目的からまとめています。

〈【承】「審議会」…②政治〉では、政治家や関係省庁の官僚が審議会で、どのような議論をしていたのかをチェックして、重要な発言内容などポイントをまとめました。

〈【承】「審議会」…③社会状況（審議会）〉では、政治家や関係省庁の官僚以外で審議会に参加をしていた委員の発言もチェックしました。そして、審議会が開かれていた当時の社会状況を把握するために、容器包装リサイクル法に関係する業界の状況もチェックしています。

立法プロセスチェック項目〈②「承」…審議会「最初にどのような議論がおこなわれた

のか」〉の内容をまとめたものは、以下のようになります。

〈②「承」…審議会「最初にどのような議論がおこなわれたのか」〉

【承】「審議会」…①法律

(1)リサイクルに対する国内の機運が高まった一九九〇年代に容器包装リサイクル法が制定された。制定された背景には、容器包装廃棄物のリサイクルの抜本的な推進を図ることが目的としてあった。

【承】「審議会」…②政治

(1)平成十七年ごろの環境省は「レジ袋等の無料配布を一律で禁止にする法制化は日本国憲法第二十二条「営業の自由」との関係で困難」という認識であった。

(2)平成十九年の段階でも、日本国憲法第二十二条の「営業の自由」に対する違憲の疑義があるため、レジ袋有料化は難しいという共通認識が政治家と官僚の間に存在した。

【承】「審議会」…③社会状況（審議会）

(1)リサイクルに関する部会に招かれた大塚直委員から、レジ袋有料化の法制化は憲法違反の疑義があるという認識に修正が入っていた。
(2)チェーンストア業界に属する大手スーパーマーケットやコンビニエンスストアは、レジ袋有料化による利益が得られるため、平成十七年時点からレジ袋有料化を求めていた。

【後】「事後質疑」…①転→結の問題点

〈③「転」…審議会〉では、〈②「承」…審議会〉で話されていた議論の内容に変化が見られ始めた審議会を対象に、①法律、②政治、③社会状況の三つの観点でポイントをまとめていきます。

〈②「承」…審議会〉では、レジ袋省令の根拠法である容器包装リサイクル法の制定後、しばらくの間は、「レジ袋等の無料配布を一律で禁止にする法制化は日本国憲法第二十二条「営業の自由」との関係で困難」という認識が政治家と関係省庁にありました。ですが、その認識に変化が見られるようになるのが、平成二十二年以降からになります。

立法プロセスチェック項目〈【転】「審議会」…①法律〉とありますが、レジ袋省令の場合は法律ではなく省令であるため、このチェック項目には当てはまりません。レジ袋省令の根拠法となっている容器包装リサイクル法も、レジ袋有料化に向けた方向に政治状況が変化した際、法改正は行われませんでした。

〈【転】「審議会」…②政治〉政治状況におけるレジ袋有料化に対する変化が見られたのは、令和元年六月に開催された「G20持続可能な成長のためのエネルギー転換と地球環境に関する関係閣僚会合」における世耕弘成経産大臣の発言がきっかけでした。

令和二年度開催予定の東京オリンピックまでに間に合うようにレジ袋有料化の実施を目指すことを世耕経産大臣が表明したことで、急速にレジ袋有料化に向けて関係省庁が動き始めました。

〈【転】「審議会」…③社会状況（審議会）〉では、レジ袋有料化に向けて社会状況の変化を押さえていきます。国際状況と国内状況のそれぞれに状況の変化が見られました。

国際状況の変化としては、世界的にCO2排出権取引ビジネスが拡大し、平成二十七年にパリで開催されたCOP21でパリ協定が合意されて、世界共通の長期目標として、温室効果ガス排出量の削減などの環境問題に対する世界的な枠組みが作られました。日本の環境規制に対する外圧の一つになった国際状況の変化と言えます。

また、環境対策とオリンピックというのはバルセロナオリンピックのころから関係していました。東京オリンピック招致の際も「環境を優先する２０２０年東京大会」を理念として掲げていたため、環境対策への注目が日本で高まった要因とも考えられます。

国内における環境対策のトレンドの変化は、平成二十三年三月十一日に発生した東日本大震災に伴って起きた福島第一原子力発電所の事故が大きく影響しています。震災後に原子力行政の担当を環境大臣が兼務する形になり、原子力は規制の方向に向かい始めて、再生可能エネルギーの推進が環境省によって行われていきます。このように国内外で環境対策のトレンドが変化する流れで、レジ袋有料化の規制が作られることになりました。

〈③「転」…審議会「議論の様相が変わったのはなぜか」〉

【転】「審議会」…①法律

(1)レジ袋省令は法律ではないため該当しない。

【転】「審議会」…②政治

(1)令和元年六月開催のG20の会合において、世耕経産大臣が突如として令和二年度開催予定の東京オリンピックの開催前にあたる四月一日までにレジ袋有料化を実施することを目指すと表明。関係省庁がレジ袋有料化に向けた法整備に動き始める。

【転】「審議会」…③社会状況（審議会）

(1)平成二十七年開催のＣＯＰ21でパリ協定が合意され、世界共通の長期目標として温室効果ガス排出量の削減が取り入れられて、国際的な環境規制のトレンドが変化する。日本国内の環境規制に対する外圧としても影響してくる。

(2)平成四年開催のバルセロナオリンピックから、オリンピックに環境対策が関係するようになる。東京オリンピック誘致の際も「環境を優先する２０２０年東京大会」を理念として掲げていた。

(3)平成二十三年三月十一日に発生した東日本大震災に伴って起きた福島第一原子力発電所の事故がきっかけで、原子力行政の担当が環境大臣による兼務となる。原子力は規制強化の方向に進み、環境省は再生可能エネルギーを推進する。日本国内の環境規制のトレンドが変化する。

〈【転】「審議会」〉の段階では、レジ袋有料化の法制化をすることは憲法違反の疑義があると認識されていたため、審議会でも議論は先送りにされていました。ですが、〈【承】

〈「審議会」〉の時代は、国内外の社会状況において環境規制に対する注目が高まっていました。そのような状況で、世耕経産大臣が東京オリンピック開催前までにレジ袋有料化を実施することを目標にすると表明します。一連の流れを見ると、レジ袋有料化の法制化に関する憲法違反の疑義の問題が解決されていないまま、レジ袋有料化の法制化に向けて動きだしたことが分かります。

〈【承】「審議会」〉と〈【転】「審議会」〉それぞれの①法律、②政治、③社会状況の三つのポイントを比較してみると、大きく状況が変化していることが見えてきます。

立法プロセスチェック項目にある二つの「承・転」の「審議会」の流れにおける注目すべき問題点は、レジ袋有料化の法制化には憲法違反の疑義がある、という大きな問題が解決されていない状況でありながら、G20会合における世耕経産大臣の発言により、レジ袋有料化に向けた立法へ向けて政治が動き出してしまったことです。

〈⑤「事後質疑」…①承→転の問題点〉

〈【承】「審議会」〉の段階では、レジ袋有料化の法制化には憲法違反の疑義があると認識されていたが、〈【転】「審議会」〉の段階に入り、国内外の環境規制に対するトレンドが変化。Ｇ20会合にて世耕経産大臣が東京オリンピック開催前にレジ袋有料化を目指すことを発言。これらの要因が重なり、レジ袋有料化の法制化には憲法違反の疑義がある、という問題が未解決でレジ袋有料化に向けた立法へ政治が動き出した。

そして、立法プロセスチェック項目〈③「転」…審議会「議論の様相が変わったのはなぜか」〉から四番目の〈④「結」…制度化「どのようにして規制が作られるのか」〉に至るまでに起きた問題点は何かを見ていきます。

〈⑤「事後質疑」…①承↓転〉で上げた「レジ袋有料化の法制化には憲法違反の疑義がある、という問題が未解決でレジ袋有料化に向けた立法へ政治が動き出した」という問題が、レジ袋省令という規制に「制度化」されると、さまざまな問題点が新たに出てきます。

〈④「結」…制度化「どのようにして規制が作られるのか」〉では、審議会を経て省令として「制度化」されたレジ袋省令が、国民に対してどのような影響を与えたのかをまとめました。〈【結】「制度化」〉は、①法律、②省令、③実施の三つの項目に分けて見ていきます。

レジ袋省令は、法律ではなく省令という形式で採用されたため〈【結】「制度化」…①法律〉には当てはまらず〈【結】「制度化」…②省令〉に当てはまります。

レジ袋省令の立法プロセス〈⑤「事後質疑」…①承↓転〉の問題点として取り上げたのは、レジ袋有料化の法制化に憲法違反の疑義があるとされた状況で、レジ袋有料化を可能とする新たな規制を作り始めたことです。国際状況と国内状況の変化や世耕経産大臣の発言で立法に向けて動き出し、レジ袋省令とガイドラインに例外規定を設けるという形でレジ袋有料化の規制を作り出しました。

【結】「制度化」…②省令

(1)レジ袋有料化を法律で実施することは困難であったため、省令という形にしてレジ袋有料化を可能にした。憲法違反の疑義については、レジ袋の無料配布を可能とする例外規定を「プラスチック製買物袋有料化実施ガイドライン」に設けることで、憲法第二十二条「営業の自由」を保障し、有料化は一律強制ではなく憲法違反をしていないという対応を政府側はした。

そして、〈【結】「制度化」…③実施・影響〉では、レジ袋省令の実施によって生じたさまざまな問題を六つのチェックポイントとしてまとめました。その中でも立法プロセスチェック項目〈転↓結〉のつながりで見たときに特に大事なことは、「レジ袋有料化義務化」という誤解が国民に広まってしまったことであると言えます。〈【結】「制度化」…③実施・影響〉でまとめた六つのチェックポイントのうち、①が特に重要です。

【結】「制度化」…③実施・影響

⑴令和二年七月一日にレジ袋省令が実施されるまでに、経産省や環境省、原田義昭環境大臣や小泉進次郎環境大臣がさまざまな場でレジ袋省令に関する発言を行っていた。

事業者に対する経産省の広報は新型コロナウイルス感染症の影響などもあり、十分な広報を行うことは出来なかった。

環境省と両環境大臣による広報は「レジ袋有料化」の情報ばかりを伝えており、「プラスチック製買物袋有料化実施ガイドライン」に設けられた例外規定については、ほとんど広報されることがなかった。その結果、多くの国民は「レジ袋有料化義務化」がレジ袋省令によって実施されたと認識してしまった。

この「レジ袋有料化義務化」はガイドラインの冒頭一カ所だけ書かれているが、実際には「有料化義務化」という認識は誤りであり、経産省側の意図と国民が受け取る認識の齟齬が生じている。

経産省が作成した「プラスチック製買物袋有料化実施ガイドライン」の冒頭に「レジ袋有料化義務化」の文言が一カ所だけ記載されていました。経産省側の意図は「有料で配布することでレジ袋の排出抑制を事業者に行ってもらいたい」ために「レジ袋有料化義務化」という文言を記載したようですが、マスコミやメディア上では「レジ袋有料化義務化」という文言だけが広まり、多くの国民は「レジ袋の有料化が義務化される」という誤解をしていくことになります。環境省や政治家も「レジ袋有料化」という広報ばかりで、無料配布の条件を定めた例外規定の存在を国民にしっかりと広報することなく、レジ袋の

「有料化義務化」と認識された状況でレジ袋省令は実施されることになりました。
そして、令和二年七月一日にレジ袋省令を実施してから一年半以上が経過し、令和四年四月の国会質疑で環境省の広報に問題があることを政府側は認めるという状況に至りました。
〈⑤「事後質疑」…①承→転、転→結〉の問題点をまとめると以上のようになります。

⑤「事後質疑」…①承→転、転→結の問題点

〈承→転の問題点〉

〈【承】「審議会」〉の段階では、レジ袋有料化の法制化には憲法違反の疑義があると認識されていたが、〈【転】「審議会」〉の段階に入り、国内外の環境規制に対するトレンドが変化。G20会合にて世耕経産大臣が東京オリンピック開催前にレジ袋有料化を目指すことを発言。これらの要因が重なり、レジ袋有料化の法制化には憲法違反の疑義がある、という問題が未解決でレジ袋有料化に向けた立法へ政治が動き出した。

〈転→結の問題点〉

経産省作成の「プラスチック製買物袋有料化実施ガイドライン」の冒頭に記載されている「レジ袋有料化義務化」という文言が原因で、レジ袋の「有料化義務化」という誤解が多くの国民に広まる。環境省や政治家も正確な情報を広報することを怠り、レジ袋の「有料化義務化」という認識が多くの国民になされたままレジ袋省令の実施に至る。

立法プロセスチェック項目の〈承→転、転→結〉を流れで見ていくと、審議会などの政治の場面で行われた議論で重要なポイント（レジ袋省令では「レジ袋有料化の法制化には憲法違反の疑義があると認識されていたこと」）が見えてきます。

新しい規制が立法されていくプロセスの全体を把握すると、立法上における問題点が見えやすくなります。レジ袋省令に限らず、おかしな規制を改廃するための議論をする際、規制の内容について議論をしても、規制の良し悪しを議論する形となり、水掛け論に終始する可能性があります。ですが、立法プロセスにおける問題点を明らかにして、事実に基づいた根拠で議論を出来れば大きな武器になります。そのために立法プロセス全体を把握することが大切になってくるのです。

【後】「事後質疑」…②起の状況変化

〈【後】「事後質疑」…②起の状況変化〉では、〈【起】「動機」〉でまとめた、規制が作られる「動機」の部分にどのような状況変化が起きているのかをまとめていきます。

レジ袋省令が作り出される背景には、容器包装リサイクル法という根拠法があり、その前に立法された環境基本法の存在がありました。それぞれの規制が作られる「動機」はさまざまなもの（国際状況・国内状況・社会状況）がありましたが、令和二年四月一日にレジ袋省令が実施されて以降の現在に至っても、規制が作られた「動機」の部分は同じ状況なのでしょうか？

規制を作る「動機」の状況が変わっているのならば、当然ながら今の規制を見直す必要があるはずです。〈【後】「事後質疑」〉で〈【起】〉時点の「動機」と現在の状況変化を見ていきたいと思います。

レジ袋省令は容器包装リサイクル法を根拠法にしていますので、立法プロセスチェック項目〈【起】「動機」〉では、容器包装リサイクル法に関係する「動機」について、①国際状況、②国内状況の二つの観点でまとめました。そこで、容器包装リサイクル法の制定に至る「動機」に現在の状況を当てはめていきたいと思います。

〈レジ袋省令の根拠法：容器包装リサイクル法の制定に関係する「動機」①国際状況、②国内状況〉と現在を比較して状況変化が見られるポイントをまとめていきます。

■レジ袋省令の根拠法：容器包装リサイクル法の制定に関係する「動機」①国際状況

(1)「小売業に属する事業を行う者の容器包装の使用の合理化による容器包装廃棄物の排出の抑制の促進に関する判断の基準となるべき事項を定める省令の一部を改正する省令」(レジ袋省令)の根拠法は、「容器包装に係る分別収集及び再商品化の促進等に関する法律」(容器包装リサイクル法)であり、制定に至る流れは平成五年に制定された環境基本法から来ている。

(2)平成四年六月、ブラジルのリオデジャネイロ市で開催された「環境と開発に関する国際連合会議」(通称：地球サミット)で「アジェンダ21」が採択される。世界各地の自治体で「ローカルアジェンダ21」が策定され、日本の環境基本法制定につながる。

(3)平成二年八月から始まった湾岸戦争において日本は軍事的な国際貢献を行えず、その後の一連の出来事がトラウマとなり国際貢献のあり方を模索し、環境問題において日本は国際貢献を目指していく動きが生まれる。（ＳＤＧｓの概念につながる「ＳＤ」の理念を日本が発信する）

(4)ＩＳＯとアジェンダ21が連動していたため、日本政府は国内において環境対策に取り組む必要に迫られて、容器包装リサイクル法の制定に向けて動いていく。

■レジ袋省令の根拠法：容器包装リサイクル法の制定に関係する「動機」②国内状況

(1)日本国内で環境規制への注目が高まったのは一九七〇年代。理由は公害問題対策。

(2)一九九〇年代に入り、世界的に環境問題対策への取り組みに注目が高まる。一部は外圧として日本国内に影響をもたらす中で、国内の環境問題としてはゴミの最終処分場の問題に注目が集まる。リサイクル問題に対する機運が高まり、容器包装リサイクル法の制定につながる。

(3)容器包装リサイクル法の制定に関係する審議会では、「プラスチック製買物袋（レジ袋)」の問題は将来的な課題として扱われていた。

容器包装リサイクル法が制定された「動機」の中で大きく状況変化したと言えるのは、国際状況では、③「日本の国際貢献のあり方」が当てはまると思われます。

平成二年八月に開戦した湾岸戦争をきっかけに、日本は軍事的な国際貢献が出来ない代わりに環境問題において国際貢献を目指す動きを始めました。当時は自衛隊の海外派遣が行われていませんでしたが、湾岸戦争が契機となり自衛隊の国連平和維持活動への参加が検討され始めました。平成四年六月、国際平和協力法(PKO協力法)が制定されて、国連の平和維持活動に自衛隊が参加出来るようになりました。湾岸戦争後も平成十五(二〇〇三)年のイラク戦争時に自衛隊が人道支援活動に参加するなど、日本は環境問題以外でも国際貢献が可能になりましたので、日本の国際貢献のあり方という状況は変化していると言えます。

【後】「事後質疑」…②起の状況変化

(1)日本の国際貢献の在り方は環境問題の面だけではなく、軍事面(自衛隊のPKO

活動など）でも可能となった。

容器包装リサイクル法が制定された「動機」の中で、当時の国内状況と大きく変化したものは、②「日本のリサイクル問題」であると思われます。容器包装リサイクル法が制定された当時、日本のリサイクル問題が注目された理由は、一般廃棄物の増大によりゴミの最終処分場が逼迫し、自治体が困窮している問題を解決する必要があったためです。

容器包装リサイクル法は、一般廃棄物のうち大きな割合を占めていた、容器包装廃棄物のリサイクルの推進を図り、一般廃棄物の処理問題を解決することを目的に制定されました。つまり、レジ袋省令につながる根拠法である容器包装リサイクル法は、日本のリサイクル問題が大きく関係していたわけです。

それでは、日本のリサイクル問題は現代に入ってからどのような状況になっているのかを見ていきます。まず、平成七年に容器包装リサイクル法が制定された翌年の一般廃棄物の処理状況について見ていきます。旧厚生省が公表した『平成8年度の一般廃棄物の排出及び処理状況等について』によると、平成八（一九九六）年のリサイクル率は一〇・三％となっています。最終処分場の状況としては、残余容量が一億四千百五十万立米、残余年数が八・八年となっていました。

それに対してレジ袋省令が実施され始めた令和二年度の一般廃棄物の処理状況は環境省が公表している『一般廃棄物の排出及び処理状況等（令和2年度）について』で確認出来ます。令和二年度のリサイクル率は二〇・〇％、最終処分場の残余容量は九千九百八十四万立米、残余年数は二十二・四年となっています。

資料で比較すると平成八年から二十六年後の令和二年の段階で、日本のリサイクル率は二倍になり、最終処分場の残余年数も三倍近く伸びていることが分かります。日本国内のリサイクル問題は大きく改善しているのです。そうなると、日本のリサイクルへの取り組みというのは容器包装リサイクル法の制定時よりも確実に向上しており、レジ袋省令の政策目的である「消費者のライフスタイル変革を促す」もすでに達成されているように思われます。

それ以外にも日本のプラスチックゴミの状況を調べていくと、平成二十二年の環境省の資料によれば、日本で生産されているプラスチックゴミは年間九百四十五万トン、容器包装関係は四百五十万トン、そして、日本から直接的に海洋に排出されるプラスチックゴミは年間で二〜六万トンほどとなっています。つまり、日本から海洋にそのまま排出されるプラスチックゴミは多く見積もっても一％程度しかないのです。一方で日本の隣の中国から海洋に排出されているプラスチックゴミは年間百三十二～三百五十三万トンとなっており、日本とは比較にならない環境汚染が行われているのです。

日本が海洋に排出するプラスチックゴミを低く抑えている理由は、ゴミの回収率の高さやゴミの焼却率が高いためです。世界的には埋め立てによる処分方法が主流ですが、日本は焼却技術や焼却施設のレベルが高いため、廃棄物処理の方法で焼却処分が主流となっています。

また、国連で海洋プラスチックゴミ問題の報告書などを発表している国連環境計画（ＵＮＥＰ）は、二〇一八年に発表した「SINGLE-USE PLASTICS：A Roadmap for Sustainability」の中で、日本のプラスチックゴミ問題への対策は、「日本はプラスチック袋を禁止していないにもかかわらず、非常に高度な廃棄物管理システムと国民の高い意識によって、環境中の使い捨てプラスチックの漏出が相対的に抑止されています」という評価がされているのです。

国連からは日本のプラスチックゴミ問題の取り組みが高く評価されている状況を見れば、レジ袋省令を作りレジ袋の排出抑制をしなくとも、十分に成果が上がっていることが分かります。逆に日本から海外に対して、日本の高度なゴミ焼却技術・焼却施設を輸出するという政策を考えても良いと思われます。

【後】「事後質疑」…②起の状況変化

(2)レジ袋省令の根拠法である容器包装リサイクル法の制定時に問題とされていたリサイクル問題は大きく改善されている。ゴミの焼却技術・焼却施設のレベルが向上し、平成八年から二十六年後の令和二年の段階で、日本のリサイクル率は二倍になり、最終処分場の残余年数も三倍近く伸びている。
日本のプラスチックゴミ問題への取り組みは国連からも高く評価されている。

レジ袋省令は、根拠法である容器包装リサイクル法の制定から数えて二十六年もの歳月を経て作られました。当然ながら〈【起】「動機」〉でまとめた状況と〈【後】「事後質疑」〉の時点での状況というのは、国内外の社会状況や政治状況含めて大きく変化しています。
それにもかかわらず、新しい規制を作るときに前提条件の変化を加味しないために、規制が作られた後にさまざまな問題が起きてしまうのです。

「立法プロセスチェック項目」の利用の考え方

「立法プロセスチェック項目」では、レジ袋省令の立法プロセスを「起・承・転・結・後」の五つの項目に当てはめて、項目ごとの問題点を整理して解説してきました。

本書ではレジ袋省令を対象に立法プロセスを明らかにして、項目ごとに問題点を整理していきましたが、レジ袋省令以外の規制に関しても「立法プロセスチェック項目」に当てはまる情報を収集・分析していくことで、規制の立法プロセスを明らかにすることが出来ます。

一つの規制が立法に至るまでのプロセス全体を捉えて、規制の問題点を押さえることは、規制を改革・廃止する議論における根拠となり大きな武器になります。

実際に、レジ袋省令が実施されてから一年半以上が経過した令和四年四月六日の国会質疑において、国民の間で広まったレジ袋省令による「レジ袋有料化義務化」という情報が誤りであったことが認められました。

第二章〈令和四年四月六日、国会質疑で「レジ袋有料化義務化」の誤りが認められる〉

に国会答弁を引用して掲載していますが、簡単に内容をまとめると、レジ袋省令によって「レジ袋有料化義務化」が定められたと思われていたが、じつは「法律で定められた義務ではなかった」という内容が答弁されたのでした。

この国会答弁は、日本維新の会の漆間譲司衆議院議員による質問で、経済産業省産業技術環境局長の奈須野太氏と自由民主党の大岡敏孝環境副大臣が答弁しました。

大岡環境副大臣は「確かに、私どもの言い方が十分でなかった面があるかもしれません。全てのレジ袋の有料化が義務化されたというふうに聞こえてしまったのかもしれません。ただ、本当のルールは、先ほど漆間先生が御披露いただいたとおりでございまして、有料化しなければならないものと有料化しなくてもいいものがあります」という答弁をして、環境省の行ったレジ袋省令の広報に不足があったことを認めました。そして、「レジ袋有料化義務化」という誤った広報がなされたことと、ガイドラインに設けられた例外規定に基づいた無償頒布可能なレジ袋の存在もあると認める答弁を行いました。

また、広報不足に関しても大岡環境副大臣は政府側の誤りを認めて、今後は適切な広報をしていくことを明言しました。

これまでの規制の改革や廃止を求める議論では、規制の内容の是非を問うような議論ばかり見受けられてきました。しかし、規制の内容についての議論に終始してしまうと、政治家や官僚、規制に関係する有識者などの議論に到底太刀打ち出来ません。結果として規制の改革も廃止も進まないことになるのです。そこで、規制の立法プロセスを分析して、立法プロセスの中にある問題点を指摘出来ると規制の内容に関する専門的な知識がなくとも、誰でも規制の問題点を修正させる議論が可能となります。

「立法プロセスチェック項目」を活用し、規制のプロセスを可視化することで、規制の改革・廃止の議論に必要な情報分析が容易になりますので、新たな規制が作られる段階で止めることが出来るとより望ましくなります。

将来的には、第一章〈規制を作るだけではなく、規制の評価をすることが重要〉にて紹介したイギリスの規制改革プロセスのようなものを日本でも行うことが出来れば、おかしな規制を作ることを途中で止めたり、規制の改革や廃止を進めていくことが出来ます。

本書で解説をした「立法プロセスチェック項目」を活用し、おかしな規制が作られている立法プロセスの問題点を明らかにして、規制の改革・廃止の議論を一国民、一有権者が進めていくことが、規制で雁字搦めになってしまっている日本の政治状況を変える重要な動きとなるはずです。

ぜひ、本書をお読みになられた方は「立法プロセスチェック項目」を活用してください。

資料「立法プロセスチェック表」

本書で解説をした「立法プロセスチェック項目」に、レジ袋省令の立法プロセス内容を記載した資料と「立法プロセスチェック項目」に、項目ごとに記載すべき内容を記載した資料を載せています。こちらの資料を参考にして、おかしな規制の立法プロセスを調査していただければと思います。

参考資料①「立法プロセスチェック項目」：レジ袋省令の立法プロセスの詳細

立法プロセスチェック項目

調査対象「小売業に属する事業を行う者の容器包装の使用の合理化による容器包装廃棄物の排出の抑制の促進に関する判断の基準となるべき事項を定める省令の一部を改正する省令」（レジ袋省令）

起	**動機**	「**なぜ、この規制を作ることになったのか**」 ①**国際状況** (1)「小売業に属する事業を行う者の容器包装の使用の合理化による容器包装廃棄物の排出の抑制の促進に関する判断の基準となるべき事項を定める省令の一部を改正する省令」	**随時** **国会審議含む** ←

（レジ袋省令）の根拠法は、「容器包装に係る分別収集及び再商品化の促進等に関する法律」（容器包装リサイクル法）であり、制定に至る流れは平成五年に制定された環境基本法から来ている。

(2)平成四年六月、ブラジルのリオデジャネイロ市で開催された「環境と開発に関する国際連合会議」（通称：地球サミット）で「アジェンダ21」が採択される。世界各地の自治体で「ローカルアジェンダ21」が策定され、日本の環境基本法制定につながる。

(3)平成二年八月から始まった湾岸戦争において日本は軍事的な国際貢献を行えず、その後の一連の出来事がトラウマとなり国際貢献のあり方を模索し、環境問題において日本は国際貢献を目指していく動きが生まれる。（ＳＤＧｓの概念につながる「ＳＤ」の理念を日本が発信する）

(4)ＩＳＯとアジェンダ21が連動していたため、日本政府は国内において環境対策に取り組む必要に迫られて、容器包

承

審議会

装リサイクル法の制定に向けて動いていく。

②国内状況

(1)日本国内で環境規制への注目が高まったのは一九七〇年代。理由は公害問題対策。

(2)一九九〇年代に入り、世界的に環境問題対策への取り組みに注目が高まる。一部は外圧として日本国内に影響をもたらす中で、国内の環境問題としてはゴミの最終処分場の問題に注目が集まる。リサイクル問題に対する機運が高まり、容器包装リサイクル法の制定につながる。

(3)容器包装リサイクル法の制定に関係する審議会では、「プラスチック製買物袋（レジ袋）」の問題は将来的な課題として扱われていた。

「最初にどのような議論がおこなわれたのか」

①法律

(1)リサイクルに対する国内の機運が高まった一九九〇年代に容器包装リサイクル法が制定された。制定された背景には、容器包装廃棄物のリサイクルの抜本的な推進を図ることが目的としてあった。

②**政治**

(1)平成十七年ごろの環境省は「レジ袋等の無料配布を一律で禁止にする法制化は日本国憲法第二十二条「営業の自由」との関係で困難」という認識であった。

(2)平成十九年の段階でも、日本国憲法第二十二条の「営業の自由」に対する違憲の疑義があるため、レジ袋有料化は難しいという共通認識が政治家と官僚の間に存在した。

③**社会状況（審議会）**

(1)リサイクルに関する部会に招かれた大塚直委員から、レジ袋有料化の法制化は憲法違反の疑義があるという認識に修正が入っていた。

(2)チェーンストア業界に属する大手スーパーマーケットやコンビニエンスストアは、レジ袋有料化による利益が得られるため、平成十七年時点からレジ袋有料化を求めていた。

転	
審議会	「議論の様相が変わったのはなぜか」 ①法律 (1)レジ袋省令は法律ではないため該当しない。 ②政治 (1)令和元年六月開催のG20の会合において、世耕経産大臣が突如として令和二年度開催予定の東京オリンピックの開催前にあたる四月一日までにレジ袋有料化を実施することを目指すと表明。関係省庁がレジ袋有料化に向けた法整備に動き始める。 ③社会状況（審議会） (1)平成二十七年開催のCOP21でパリ協定が合意され、世界共通の長期目標として温室効果ガス排出量の削減が取り入れられて、国際的な環境規制のトレンドが変化する。日本国内の環境規制に対する外圧としても影響してくる。 (2)平成四年開催のバルセロナオリンピックから、オリンピックに環境対策が関係するようになる。東京オリンピック

誘致の際も「環境を優先する２０２０年東京大会」を理念として掲げていた。
(3)平成二十三年三月十一日に発生した東日本大震災に伴って起きた福島第一原子力発電所の事故がきっかけで、原子力行政の担当が環境大臣による兼務となる。原子力は規制強化の方向に進み、環境省は再生可能エネルギーを推進する。日本国内の環境規制のトレンドが変化する。

結

制度化

「どのようにして規制が作られるのか」

①法律

(1)レジ袋有料化の法制化は困難であったため、省令という形で規制を制定。

②省令

(1)レジ袋有料化を法律で実施することは困難であったため、省令という形にしてレジ袋有料化を可能にした。憲法違反の疑義については、レジ袋の無料配布を可能とする例外規定を「プラスチック製買物袋有料化実施ガイドライン」に設けることで、憲法第二十二条「営業の自由」を保障し、有料化は一律強制ではなく憲法違反をしていないという対応を政府側はした。

③実施・影響

⑴令和二年七月一日にレジ袋省令が実施されるまでに、経産省や環境省、原田義昭環境大臣や小泉進次郎環境大臣がさまざまな場でレジ袋省令に関する広報を行っていた。事業者に対する経産省の広報は新型コロナウイルス感染症の影響などもあり、十分な広報を行うことは出来なかった。環境省と両環境大臣による広報は「レジ袋有料化」の情報ばかりを伝えており、「プラスチック製買物袋有料化実施ガイドライン」に設けられた例外規定については、ほとんど広報されることがなかった。その結果、多くの国民は「レジ袋有料化義務化」がレジ袋省令によって実施されたと認識してしまった。

この「レジ袋有料化義務化」はガイドラインの冒頭一カ所

だけ書かれているが、実際には「有料化義務化」という認識は誤りであり、経産省側の意図と国民が受け取る認識の齟齬が生じている。
(2)「レジ袋有料化義務化」という誤解が国民に広まった状況でも、例外規定にあてはまる無料配布可能なレジ袋を無料配布している事業者は存在した。しかし、例外規定にあてはまる無料配布可能なレジ袋を有料で販売する事業者も見られた。一種の便乗値上げと思われる事業者も存在した。
(3)レジ袋省令は「省令」であるため、「行政機関が行う政策の評価に関する法律施行令の第三条六」における政策評価の対象外となっている。
環境省がレジ袋省令の実施後に公表した資料を確認すると、レジ袋省令の政策目的としている「消費者のライフスタイルの変革を促す」は、すでに達成していると思われるが、政策目的の達成基準が不明確であるため、現在もレジ袋省令は継続している。

(4)レジ袋省令の実施前から厳しい状況にあった国内のレジ袋製造業者は、レジ袋有料化が始まると企業業績を大幅に下げることになった。ただし、新型コロナウイルス感染症の流行開始時期とレジ袋省令の開始時期が被るため、レジ袋省令による経済的損失をすべて証明することは困難といえる。

(5)レジ袋有料化後に消費者の買い控えが増加、中小企業者の事務負担の増加、セルフサービスでマイバックの使用が増えて万引き被害が増加するなど、経済全体へのマイナスの影響が表れてくる。

(6)レジ袋省令が実施された翌年に新たな規制「プラスチックに係る資源循環の促進等に関する法律」(プラスチック新法)が施行されることになった。

プラスチック新法の施行前の段階で、レジ袋と同様の使い捨てプラスチック製品の「有料化義務化」という誤解が多くの国民の間で広まるが、政官界でレジ袋省令やプラスチッ

		ク新法の問題点に注目が集まり始める。 使い捨てプラスチック製品の「有料化義務化」という誤解が広まった状況ではあったが、プラスチック新法の施行後、大手コンビニ各社は無料配布可能な使い捨てプラスチック製品の導入で対応するなど、使い捨てプラスチック製品の有料化は見送られた。
後	**事後質疑**	**「立法における問題点は何か」** **①承→転、転→結の問題点** **〈承→転の問題点〉** 〈**【承】**「審議会」〉の段階では、レジ袋有料化の法制化には憲法違反の疑義があると認識されていたが、〈**【転】**「審議会」〉の段階に入り、国内外の環境規制に対するトレンドが変化。 G20会合にて世耕経産大臣が東京オリンピック開催前にレジ袋有料化を目指すことを発言。これらの要因が重なり、レジ袋有料化の法制化には憲法違反の疑義がある、という問題が未解決でレジ袋有料化に向けた立法へ政治が動き出

した。

〈転→結の問題点〉

経産省作成の「プラスチック製買物袋有料化実施ガイドライン」の冒頭に記載されている「レジ袋有料化義務化」という文言が原因で、レジ袋の「有料化義務化」という誤解が多くの国民に広まる。環境省や政治家も正確な情報を広報することを怠り、レジ袋の「有料化義務化」という認識が多くの国民になされたままレジ袋省令の実施に至る。

②起の状況変化

(1)日本の国際貢献の在り方は環境問題の面だけではなく、軍事面（自衛隊のＰＫＯ活動など）でも可能となった。

(2)レジ袋省令の根拠法である容器包装リサイクル法の制定時に問題とされていたリサイクル問題は大きく改善されている。ゴミの焼却技術・焼却施設のレベルが向上し、平成八年から二十六年後の令和二年の段階で、日本のリサイクル率は二倍になり、最終処分場の残余年数も三倍近く伸び

ている。日本のプラスチックゴミ問題への取り組みは国連からも高く評価されている。	←

参考資料②「立法プロセスチェック項目」：項目ごとに記載する内容について

立法プロセスチェック項目

調査対象：【立法プロセスを調査する対象の規制の名称】

起	**動機**	【「なぜ、この規制を作ることになったのか」：調査対象の規制が作られることになった背景を調査する。規制を定める根拠となる法律の成り立ちに関係する政治状況・国際状況・国内状況を分析】 ①**国際状況** ②**国内状況**	**随時** **国会審議含む**
承	**審議会**	【「最初にどのような議論がおこなわれたのか」：審議会が立ち上がった目的、審議会を通して作ろうとしている法律内容などを明らかにしていく。関係省庁や政治家、招集され	

	転	結
	審議会	**制度化**
た専門家の間でされた議論を調査し、ポイントをまとめる。審査会や調査会などの名称の場合もある。法律内容・政治状況・社会状況を分析】 ①**法律** ②**政治** ③**社会状況**（**審議会**）	【「議論の様相が変わったのはなぜか」：〈【承】「審議会」〉の段階で話されていた議論の様相に変化が起きた後の審議会を対象に調査。関係省庁や政治家、招集された専門家の間でされた議論を調査し、ポイントをまとめる。審査会や調査会などの名称の場合もある。法律内容・政治状況・社会状況を分析】 ①**法律** ②**政治** ③**社会状況**（**審議会**）	【「どのようにして規制が作られるのか」：審議会を経て法律

または省令として「制度化」された状況を指す。規制として「制度化」されて実施し、その後に発生した問題点をまとめる】

①法律

②省令

③実施・影響

後

事後質疑

【「立法における問題点は何か」：立法プロセスチェック項目〈②「承」審議会〉から〈③「転」審議会〉に至るまでの問題点と、〈③「転」審議会〉から〈④「結」制度化〉に至るまでの問題点を分けてまとめる。立法プロセスチェック項目〈【起】「動機」〉でまとめた、規制が作られる「動機」の部分にどのような状況変化が起きているのかをまとめる】

①承→転、転→結の問題点

②起の状況変化

←

コラム③　「立法プロセスチェック項目」オススメ調査ツール【国会会議録検索システム】

規制が出来るまでの立法プロセスを調査する際にオススメの調査ツールは【国会会議録検索システム】です。【国会会議録検索システム】では、調査したい規制に関係する国会の議事録を検索して、「規制が作られるまでにどのような議論がなされたのか」を明らかにしていくことができます。

例えば、レジ袋省令について調査をする場合は、【国会会議録検索システム】の検索キーワードに「レジ袋」と入力することで、過去の国会議事録にて「レジ袋」という単語が記載されている議事録の発言部分を簡単に見つけることが出来ます。

検索キーワード「レジ袋」で検索をすると、令和四年九月時点で「該当議事録：一六二件／当該箇所：五一九」と表示されます。検索した項目の中から最も古い議事録を調べて、いつの審議会から「レジ袋」という単語が議論に出てきたのかを探します。

その結果、「第132回国会　衆議院　商工委員会厚生委員会農林水産委員会環境委員会連合審査会　第1号　平成7年5月31日」という議事録が「レジ袋」という単語が質疑で最初に出た議事録であることが分かります。ちなみに、検索した単語の当該箇所の一覧

引用：国会会議録検索システム
https://kokkai.ndl.go.jp/#/

も見られるため簡単に議事録の気になる部分を読むことが可能です。

「第132回国会　衆議院　商工委員会厚生委員会農林水産委員会環境委員会連合審査会　第1号　平成7年5月31日」の議事録を調べていくと、当時の国会で議論されていた話題は、「容器包装に係る分別収集及び再商品化の促進等に関する法律」（容器包装リサイクル法）の制定についての議論であり、そのやり取りの一つとして大野由利子衆議院議員が「レジ袋」の話題を話していることが分かります。

平成七（一九九五）年の審議会に

おいて「レジ袋」の単語が出てきて、レジ袋が話題になっていた理由は容器包装リサイクル法にあることが判明します。レジ袋省令の研究においては、レジ袋省令の根拠法である「容器包装リサイクル法」も調査をしていくことになりました。

一つの規制の調査を深堀していくことは、やろうと思えばどこまでも可能です。どの程度まで調査をしていくのかは各々の判断によります。議事録を調べて、審議会での発言内容を確認し、調査している規制に関係しそうなポイントを収集していくのは、非常に地道な作業になるのですが、おかしな規制を改廃していく議論をするための理論武装として大切な作業になります。一つの規制が作り上げられる立法プロセスをしっかりと押さえていく手法は、【国会会議録検索システム】だけではなく、インターネット上に公開されているさまざま資料（政府関係資料、マスメディア報道、ＳＮＳなど）も調査すると良いでしょう。

規制に関係しそうな情報を収集していくことは、規制が作り上げられる全体像を捉えることにつながり、規制に関する議論の際に相手側の矛盾点や問題点を指摘する武器になります。知識や経験が豊富な専門家と規制を見直す議論をするときに、規制の内容を議論した場合は太刀打ちできなくとも、立法プロセスの矛盾点や問題点を指摘することは、根拠となる情報を押さえておけば誰でも出来ることです。

おわりに

内藤陽介（郵便学者）

〝エコ〟のためだから負担は仕方ない…現在、そんな空気が世の中に充満している。

もちろん、環境問題への取り組みは重要だが、そのために国民に新たな負担を求めるなら、選挙の際にそのことを公約として掲げて当選した政治家が、国会の場で審議を尽くして法案を可決・成立させ、しかるべき準備期間の後で施行するというのが法治国家・民主国家としての基本的なプロセスのはずだ。環境対策も例外ではあり得ない。

レジ袋〝有料化〟が全業種一律強制であるかのような広報がマスコミを通じて拡散されていた令和二年三月、筆者は文化放送のラジオ番組「おはよう寺ちゃん活動中（現おはよう寺ちゃん）」に出演し、レジ袋〝有料化〟の問題は〝エコ〟の観点からではなく、法治国家の手続き上の問題として考えるべきではないかと指摘した。それまで、いわゆる環境問題については、規制推進派・反対派ともに、数値的データ（の解釈）をめぐる議論か技術論が中心で、手続き論からのアプローチは新鮮にみえたためか、以後、筆者はレジ袋〝有料化〟についてしばしばメディアでの発言を求められるようになった。

令和2年7月からレジ袋〝有料化〟は実施されたが、その直後には、環境省の中井徳太郎次官（当時）が独断で炭素税の導入に意欲を示す越権行為もあった。こうしたことの積み重ねで、少なからぬ国民が「エコと言えば国民は黙って金を出す」、「環境対策といえば国民は文句を言わない」という空気が醸成されつつある現状に危機感を抱いている。

こうした経緯もあり、令和三年夏、救国シンクタンクからレジ袋〝有料化〟の研究を委託されたのが、本研究の直接の端緒である。

筆者には旧郵政省時代の記念切手政策の決定過程について調査・研究の実績はあるが、全くの畑違いなだけでなく、はるかに複雑なレジ袋〝有料化〟のプロセス研究への挑戦には当初、大いに躊躇した。しかし、救国シンクタンクのお世話で関係者へのヒヤリングや資料の集積はきわめてスムースに進み、研究会での中間報告などを通じて多くのご意見やアドバイスを頂戴することで何とかまとめられた。また、その過程で知り合った仲間たちとともに、令和三年十月の総選挙では、原田義昭（元環境大臣）、石原宏高（元環境副大臣）、佐藤ゆかり（同）の現職三候補について、杜撰なレジ袋〝有料化〟の責任を問うとして落選運動を展開し、選挙区では全員落選（ただし、石原候補のみは比例復活）という〝アクティビスト〟としての成果も得られた。

筆者がかかわったのは、あくまでもレジ袋〝有料化〟という一個別ケースにすぎないが、本書の内容は他の事例についても十分に応用が可能だろう。今後、読者諸賢が、それぞれのご関心に応じて、規制の成り立ちを調べるとともに、法治国家の手続きとして不備があれば指摘して修正させる、さらに問題のある政治家はきっちりと落選させ、責任を取らせていくためのサンプルとして本書をご活用いただければこれに勝る喜びはない。

なお、本書の制作にあたっては、救国シンクタンクの松井弥加さん、米内和希さん、浜田聡参議院議員事務所公設秘書としてご協力いただいた末永友香梨さん、そしてボランティアとしてご協力いただいた仁科英男さん、福永文子さん、山上正子さん、森雄飛さん、武谷陽也さんに大変お世話になった。末筆ながらお名前を記し擱筆す。

〈著者紹介〉

渡瀬裕哉（第一章・第三章担当）

一九八一年東京都生まれ。国際政治アナリスト、早稲田大学招聘研究員、事業創造大学院大学国際公共政策研究所上席研究員。機関投資家・ヘッジファンド等のプロフェッショナルな投資家向けの米国政治の講師として活躍。

一般社団法人「救国シンクタンク」を立ち上げ政策提言活動を展開し、減税・規制廃止を求める国民運動「一国民の会」代表を務める。

主な著書に『税金下げろ、規制をなくせ～日本経済復活の処方箋～』（光文社新書）『無駄をやめたらいいことだらけ　令和の大減税と規制緩和』（ワニブックス）など著書多数。

ニューズウィーク日本語版（オンライン）で連載中。

インターネット番組「チャンネルくらら」レギュラー出演中。

内藤陽介（第二章担当）

一九六七年東京都生まれ。東京大学文学部卒業。郵便学者。日本文芸家協会会員。切手等の郵便資料から国家や地域のあり方を読み解く「郵便学」を提唱し、研究・著作活動を行い、国際的に高い評価を得ている。

主な著書に『本当は恐ろしい！こわい切手』（ビジネス社）『切手でたどる郵便創業150年の歴史』（全3巻、日本郵趣出版）『アフガニスタン現代史』（えにし書房）『世界はいつでも不安定－国際ニュースの正しい読み方』（ワニブックス）など著書多数。

文化放送「おはよう寺ちゃん　活動中」レギュラーコメンテーター。

インターネット番組「チャンネルくらら」レギュラー出演中。

救国シンクタンク叢書
なぜレジ袋は「有料化」されたのか

2023年2月3日　初版発行

編　者　救国シンクタンク
発行者　伊藤和徳

発　行　総合教育出版 株式会社
〒171-0014
東京都豊島区池袋二丁目54番2号アーバンハウス201
電話　03-6775-9489
発　売　星雲社（共同出版社・流通責任出版社）

構成・編集　倉山工房
装丁・販売　奈良香里、山名瑞季
進行　土屋智弘
印刷・製本　株式会社シナノパブリッシングプレス

ISBN978-4-434-31679-1

◇救国シンクタンク叢書シリーズ

『自由主義の基盤としての財産権』 定価：九〇〇円＋税

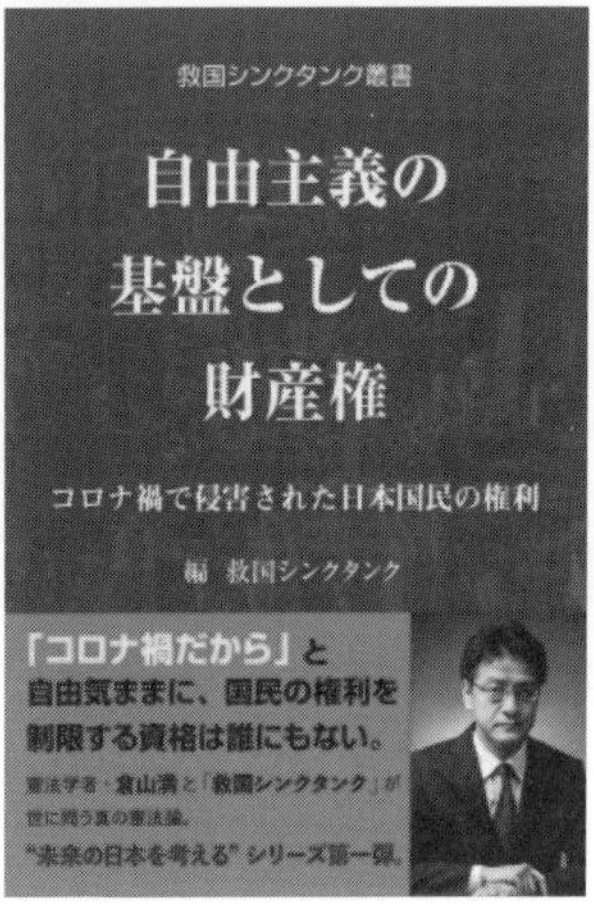

【書籍紹介】
コロナ禍で私たち国民の権利が侵害されている！？
憲法学者「倉山満」率いる「救国シンクタンク」がおくる“日本の未来を考える”シリーズ第１弾。
世に問う真の憲法論。

―「コロナ禍だから」と好き勝手に国民の権利を制限する資格は誰にもない。―

2020年１月より日本でコロナウィルスの感染が確認されてから、２年が経過した。コロナウィルスが蔓延してから、私たちの社会生活は大きく変化した。変化した日本社会に生きる私たち国民が、コロナ禍における「日本国民の権利」について改めて考える時が来たのではないか。

『大国のハイブリッドストラグル』 定価：九〇〇円＋税

【書籍紹介】
アメリカ、中国、ロシアの３カ国および、軍事、地政学それぞれの領域における新進気鋭の専門家５名が知見を共有し解説する。小泉悠（ロシアの軍事・安全保障政策を専門）、奥山真司（欧米各国の地政学や戦略学を専門）、部谷直亮（安全保障全般を専門）、渡瀬裕哉（国際情勢分析を専門）、中川コージ（組織戦略論を専門）

【ハイブリッドストラグルとは】大国は、国内外の大衆心理煽動や法律争議の技術を活用しながら、人類が秒進分歩で発見し開拓した技術と領域でハイブリッドな仄暗いストラグルを展開している。「戦争」「冷戦」「新冷戦」などとして用いられる日本語における「戦」の概念では表現するのが困難になった現状において、本書籍では敵や味方が明確ではない「ストラグル」な国際情勢を分析していく。

＊本書の「マニュアル」を活用して、ご自身の関心に沿って個別の法律・政令・省令などの立法プロセスを調査し、規制緩和と減税を進めていきたいとお考えの方は、ぜひ、救国シンクタンクにご参加ください。

救国シンクタンクでは、会員の方の「アクティビスト」としての活動を、それぞれの目的にあわせて最善の成果が挙げられるよう、可能な限りサポートいたします。

お問い合わせ相談は（info@kyuukoku.com）まで。

◇会員入会案内

一般社団法人〈救国シンクタンク〉では、「提言」「普及」「実現」を合言葉に民間の活力を強めるための、改革を阻害する税負担と規制を取り除く活動を行っています。

シンクタンクとして研究を通じ要路者へ提言を行い、国民への普及活動を実施し、政治において政策を実現していくことを目指しています。

救国シンクタンクは、会員の皆様のご支援で、研究、活動を実施しています。
救国シンクタンクの理念に賛同し、活動にご協力いただける方は、ご入会の手続きをお願いいたします。

《会員特典》

①貴重な情報満載のメルマガを毎日配信
研究員の知見に富んだメルマガや国内外の重要情報を整理してお届けします。
②年に数回開催する救国シンクタンクフォーラムへの参加。
③研究員によるレポート・提言をお送り致します。

お申込み、お問い合わせは救国シンクタンク公式サイトへ
https://kyuukoku.com/